PAPA FRANCISCO

EXORTAÇÃO APOSTÓLICA PÓS-SINODAL

AMORIS LAETITIA

SOBRE O AMOR NA FAMÍLIA

© Amministrazione del Patrimonio della Santa Sede Apostolica
© Dicastero per la Comunicazione – Libreria Editrice Vaticana, 2016
Tradução: © Conferência Nacional dos Bispos do Brasil

Direção-geral: *Bernadete Boff*
Editora responsável: *Maria Goretti de Oliveira*

1ª edição – 2016
11ª reimpressão – 2025

Nenhuma parte desta obra poderá ser reproduzida ou transmitida por qualquer forma e/ou quaisquer meios (eletrônico ou mecânico, incluindo fotocópia e gravação) ou arquivada em qualquer sistema ou banco de dados sem permissão escrita da Editora. Direitos reservados.

Cadastre-se e receba nossas informações
paulinas.com.br
Telemarketing e SAC: 0800-7010081

Paulinas
Rua Dona Inácia Uchoa, 62
04110-020 – São Paulo – SP (Brasil)
📞 (11) 2125-3500
✉ editora@paulinas.com.br

© Pia Sociedade Filhas de São Paulo – São Paulo, 2016

SIGLAS

AA   *Apostolicam Actuositatem*, Decreto sobre o apostolado dos leigos, Concílio Vaticano II

AG   *Ad Gentes*, Decreto sobre a atividade missionária da Igreja, Concílio Vaticano II

CCEO   *Codex Canonum Ecclesiarum Orientalium*, Código dos Cânones das Igrejas Orientais

CfL   *Christifideles Laici*, Exortação Apostólica Pós-sinodal sobre a vocação e missão dos leigos na Igreja e no mundo, João Paulo II

CIC   *Codex Iuris Canonici*, Código de Direito Canônico

CIgC   Catecismo da Igreja Católica

DAp   Documento de Aparecida

DCE   *Deus Caritas Est*, Carta Encíclica sobre o amor cristão, Bento XVI

DM   *Dives in Misericordia*, Carta Encíclica sobre a misericórdia divina, João Paulo II

DVit   *Donum Vitae*, Instrução sobre o respeito à vida nascente e a dignidade a procriação – resposta a algumas questões atuais, Sagrada Congregação para a Doutrina da Fé

EG	*Evangelii Gaudium*, Exortação Apostólica sobre o anúncio do Evangelho no mundo atual, Papa Francisco
EV	*Evangelium Vitae*, Carta Encíclica sobre o valor e a inviolabilidade da vida humana, João Paulo II
FC	*Familiaris Consortio*, Exortação Apostólica sobre a função da família cristã no mundo de hoje, João Paulo II
GE	*Gravissimum Educationis*, Declaração sobre a Educação Cristã, Concílio Vaticano II
GS	*Gaudium et Spes*, Constituição Pastoral sobre a Igreja no mundo atual, Concílio Vaticano II
HV	*Humanae Vitae*, Carta Encíclica sobre a regulação da natalidade, Paulo VI
LF	*Lumen Fidei*, Carta Encíclica sobre a fé, Papa Francisco
LG	*Lumen Gentium*, Constituição Dogmática sobre a Igreja, Concílio Vaticano II
LS	*Laudato Si'*, Carta Encíclica sobre o cuidado da Casa Comum, Papa Francisco
MCo	*Mystici Corporis*, Carta Encíclica sobre o corpo místico de Jesus Cristo e nossa união nele com Cristo, Pio XII
MD	*Mulieris Dignitatem*, Carta Apostólica sobre a dignidade e a vocação da mulher por ocasião do ano mariano, João Paulo II

MIDI *Mitis Iudex Dominus Iesus*, Carta Apostólica em forma de *Motu Proprio*, sobre a reforma do processo canônico para as causas de declaração de nulidade do matrimônio no Código de Direito Canônico, Papa Francisco

MMI *Mitis et Misericors Iesus*, Carta Apostólica em forma de *Motu Proprio*, sobre a reforma do processo canônico para as causas de declaração de nulidade do matrimônio no Código dos Cânones das Igrejas Orientais, Papa Francisco

MV *Misericordiae Vultus*, Bula de proclamação do Jubileu Extraordinário da Misericórdia, Papa Francisco

RH *Redemptor Hominis*, Carta Encíclica no início do ministério pontifical, João Paulo II

RMi *Redemptoris Missio*, Carta Encíclica sobre a validade permanente do mandato missionário, João Paulo II.

RP *Reconciliatio et Paenitentia*, Exortação Apostólica Pós-Sinodal sobre a reconciliação e a penitência na missão da Igreja hoje, João Paulo II.

VC *Vita Consecrata*, Exortação Apostólica Pós-Sinodal sobre a vida consagrada e a sua missão na Igreja e no mundo, João Paulo II.

1. A ALEGRIA DO AMOR que se vive nas famílias é também o júbilo da Igreja. Apesar dos numerosos sinais de crise no matrimônio – como foi observado pelos Padres sinodais – "o desejo de família permanece vivo nas jovens gerações".[1] Como resposta a este anseio, "o anúncio cristão que diz respeito à família é deveras uma boa notícia".[2]

2. O caminho sinodal permitiu analisar a situação das famílias no mundo atual, alargar a nossa perspectiva e reavivar a nossa consciência sobre a importância do matrimônio e da família. Ao mesmo tempo, a complexidade dos temas tratados mostrou-nos a necessidade de continuar a aprofundar, com liberdade, algumas questões doutrinais, morais, espirituais e pastorais. A reflexão dos pastores e teólogos – se for fiel à Igreja, honesta, realista e criativa – ajudar-nos-á a alcançar maior clareza. Os debates, que têm lugar nos meios de comunicação ou em publicações e mesmo entre ministros da Igreja, estendem-se desde o desejo desenfreado de mudar tudo sem suficiente reflexão ou fundamentação até a atitude que pretende resolver tudo através da

---

[1] III Assembleia Geral Extraordinária do Sínodo dos Bispos, *Relatio Synodi* (18 de outubro de 2014), n. 2.
[2] SÍNODO DOS BISPOS, XIV Assembleia Geral Ordinária. *A vocação e a missão da família na Igreja e no mundo contemporâneo.* Relatório final. Documentos da Igreja 26. Brasília: Edições CNBB, 2016. *Relatio Finalis* 2015, n. 3.

aplicação de normas gerais ou deduzindo conclusões excessivas de algumas reflexões teológicas.

3. Recordando que o tempo é superior ao espaço, quero reiterar que nem todas as discussões doutrinais, morais ou pastorais devem ser resolvidas através de intervenções magisteriais. Naturalmente, na Igreja, é necessária uma unidade de doutrina e práxis, mas isto não impede que existam maneiras diferentes de interpretar alguns aspectos da doutrina ou algumas consequências que decorrem dela. Assim há de acontecer até que o Espírito nos conduza à verdade completa (cf. Jo 16,13), isto é, quando nos introduzir perfeitamente no mistério de Cristo e pudermos ver tudo com o seu olhar. Além disso, em cada país ou região, é possível buscar soluções mais inculturadas, atentas às tradições e aos desafios locais. De fato, "as culturas são muito diferentes entre si e cada princípio geral (…), se quiser ser observado e aplicado, precisa de ser inculturado".[3]

4. Em todo o caso, devo dizer que o caminho sinodal se revestiu de uma grande beleza e proporcionou muita luz. Agradeço tantas contribuições que me ajudaram a considerar, em toda a sua amplitude, os problemas

---

[3] FRANCISCO, *Discurso no encerramento da XIV Assembleia Geral Ordinária do Sínodo dos Bispos* (24 de outubro de 2015): *L'Osservatore Romano* (ed. semanal portuguesa de 29/10/2015), 9; cf. Pont. Comissão Bíblica, *Fé e cultura à luz da Bíblia. Atas da Sessão Plenária de 1979 da Pontifícia Comissão Bíblica* (Turim 1981); GS, n. 44; RMi, n. 52; EG, n. 69.117.

das famílias do mundo inteiro. O conjunto das intervenções dos Padres, que ouvi com atenção constante, pareceu-me um precioso poliedro, formado por muitas preocupações legítimas e questões honestas e sinceras. Por isso, considerei oportuno redigir uma Exortação Apostólica pós-sinodal que recolha contribuições dos dois Sínodos recentes sobre a família, acrescentando outras considerações que possam orientar a reflexão, o diálogo ou a práxis pastoral, e simultaneamente ofereçam coragem, estímulo e ajuda às famílias na sua doação e nas suas dificuldades.

5. Esta Exortação adquire um significado especial no contexto deste Ano Jubilar da Misericórdia, em primeiro lugar, porque a vejo como uma proposta para as famílias cristãs, que as estimule a apreciar os dons do matrimônio e da família e a manter um amor forte e cheio de valores como a generosidade, o compromisso, a fidelidade e a paciência; em segundo lugar, porque se propõe a encorajar todos a serem sinais de misericórdia e proximidade para a vida familiar, onde esta não se realize perfeitamente ou não se desenrole em paz e alegria.

6. No desenvolvimento do texto, começarei por uma abertura inspirada na Sagrada Escritura, que lhe dê o tom adequado. A partir disso, considerarei a situação atual das famílias, para manter os pés no chão. Depois lembrarei alguns elementos essenciais da doutrina da Igreja sobre

o matrimônio e a família, seguindo-se os dois capítulos centrais, dedicados ao amor. Em seguida destacarei alguns caminhos pastorais que nos levem a construir famílias sólidas e fecundas segundo o plano de Deus, e dedicarei um capítulo à educação dos filhos. Depois deter-me-ei em um convite à misericórdia e ao discernimento pastoral perante situações que não correspondem plenamente ao que o Senhor nos propõe; e, finalmente, traçarei breves linhas de espiritualidade familiar.

7. Devido à riqueza que os dois anos de reflexão do caminho sinodal ofereceram, esta Exortação aborda, com diferentes estilos, muitos e variados temas. Isto explica a sua inevitável extensão. Por isso, não aconselho uma leitura geral apressada. Poderá ser mais proveitoso, tanto para as famílias como para os agentes de pastoral familiar, aprofundar pacientemente uma parte de cada vez ou procurar nela o que precisam em cada circunstância concreta. É provável, por exemplo, que os esposos se identifiquem mais com o quarto e quinto capítulo, que os agentes pastorais tenham especial interesse pelo capítulo sexto, e que todos sintam-se muito interpelados pelo oitavo. Espero que cada um, através da leitura, sinta-se chamado a cuidar com amor da vida das famílias, porque elas "não são um problema, são sobretudo uma oportunidade".[4]

---

[4] FRANCISCO. *Discurso no Encontro com as Famílias*, em Santiago de Cuba (22 de setembro de 2015): *L'Osservatore Romano* (ed. semanal portuguesa de 24/09/2015), 14.

Capítulo I
À LUZ DA PALAVRA

8. A Bíblia aparece cheia de famílias, gerações, histórias de amor e de crises familiares, desde as primeiras páginas onde entra em cena a família de Adão e Eva, com o seu peso de violência, mas também com a força da vida que continua (cf. Gn 4), até as últimas páginas onde aparecem as núpcias da Esposa e do Cordeiro (cf. Ap 21,2.9). As duas casas de que fala Jesus, construídas ora sobre a rocha ora sobre a areia (cf. Mt 7,24-27), representam muitas situações familiares, criadas pela liberdade dos que nelas habitam, porque – como escreve o poeta – "toda a casa é um candelabro".[5] Agora entremos em uma dessas casas, guiados pelo Salmista, através de um canto que ainda hoje se proclama nas liturgias nupciais quer judaicas quer cristãs:

> "Feliz quem teme o Senhor
> e segue seus caminhos.
> Viverás do trabalho de tuas mãos,

---

[5] JORGE LUÍS BORGES, "Calle desconocida", in *Fervor de Buenos Aires* (Buenos Aires 2011), 23.

viverás feliz e satisfeito.
Tua esposa será como uma vinha fecunda
no interior de tua casa;
teus filhos, como brotos de oliveira
ao redor de tua mesa.
Assim será abençoado
o homem que teme o Senhor.
De Sião o Senhor te abençoe!
Possas ver Jerusalém feliz
todos os dias de tua vida.
E vejas os filhos de teus filhos.
Paz sobre Israel!" (Sl 128/127,1-6).

Tu e a tua esposa

9. Cruzemos então o limiar desta casa serena, com a sua família sentada ao redor da mesa em dia de festa. No centro, encontramos o casal formado pelo pai e a mãe com toda a sua história de amor. Neles se realiza o desígnio primordial que o próprio Cristo evoca com decisão: "Nunca lestes que o Criador, desde o princípio, os fez homem e mulher?" (Mt 19,4). E retoma o mandato do livro do Gênesis: "Por isso deixará o homem o pai e a mãe se unirá à sua mulher, e eles serão uma só carne" (Gn 2,24).

10. Os dois primeiros capítulos grandiosos do Gênesis oferecem-nos a representação do casal humano em sua realidade fundamental. No trecho inicial da Bíblia,

sobressaem algumas afirmações decisivas. A primeira, citada sinteticamente por Jesus, declara: "Deus criou o ser humano à sua imagem, à imagem de Deus o criou. Homem e mulher ele os criou" (1,27). Surpreendentemente, a "imagem de Deus" tem como paralelo explicativo precisamente o casal "homem e mulher". Quererá isto significar que o próprio Deus é sexuado ou tem a seu lado uma companheira divina, como acreditavam algumas religiões antigas? Não, obviamente! Sabemos com quanta clareza a Bíblia rejeitou como idolátricas tais crenças, generalizadas entre os cananeus da Terra Santa. Preserva-se a transcendência de Deus, mas, uma vez que é ao mesmo tempo o Criador, a fecundidade do casal humano é "imagem" viva e eficaz, sinal visível do ato criador.

11. O casal que ama e gera a vida é a verdadeira "escultura" viva (não a de pedra ou de ouro, que o Decálogo proíbe), capaz de manifestar Deus criador e salvador. Por isso, o amor fecundo chega a ser o símbolo das realidades íntimas de Deus (cf. Gn 1,28; 9,7; 17,2-5.16; 28,3; 35,11; 48,3-4). Devido a isso, a narrativa do Gênesis, atendo-se à chamada "tradição sacerdotal", aparece permeada por várias sequências genealógicas (cf. Gn 4,17-22.25-26; 5,10; 11,10-32; 25,1-4.12-17.19-26; 36): de fato, a capacidade que o casal humano tem de gerar é o caminho por onde se desenrola a história da salvação. Sob esta luz, a relação fecunda do casal torna-se uma

imagem para descobrir e descrever o mistério de Deus, fundamental na visão cristã da Trindade que, em Deus, contempla o Pai, o Filho e o Espírito de amor. O Deus Trindade é comunhão de amor; e a família, o seu reflexo vivente. A propósito, são elucidativas estas palavras de São João Paulo II: "O nosso Deus, no seu mistério mais íntimo, não é solidão, mas uma família, dado que tem em Si mesmo paternidade, filiação e a essência da família, que é o amor. Este amor, na família divina, é o Espírito Santo".[6] Concluindo, a família não é alheia à própria essência divina.[7] Este aspecto trinitário do casal encontra uma nova representação na teologia paulina, quando o Apóstolo relaciona o casal com o "mistério" da união entre Cristo e a Igreja (cf. Ef 5,21-33).

12. Mas Jesus, em sua reflexão sobre o matrimônio, alude a outra página do Gênesis – o capítulo 2 – na qual aparece um retrato admirável do casal com detalhes elucidativos. Escolhemos apenas dois. O primeiro é a inquietação vivida pelo homem, que busca "uma auxiliar que lhe corresponda" (v. 18.20), capaz de resolver esta solidão que o perturba e que não encontra remédio na proximidade dos animais e da criação inteira. A expressão original hebraica faz-nos pensar em uma relação direta, quase "frontal" – olhos nos olhos

---

[6] *Homilia* na Eucaristia celebrada em Puebla de los Ángeles (28 de janeiro de 1979), 2: *AAS* 71 (1979), 184.

[7] Cf. Idem.

–, em um diálogo também sem palavras, porque, no amor, os silêncios costumam ser mais eloquentes do que as palavras: é o encontro com um rosto, um "tu" que reflete o amor divino e constitui – como diz um sábio bíblico – "o começo da fortuna, um auxílio igual a si mesmo e uma coluna de apoio" (Eclo 36,24). Ou como exclamará a mulher do Cântico dos Cânticos, em uma confissão estupenda de amor e doação na reciprocidade, "o meu amado é todo meu e eu sou dele. (…) Eu sou para o meu amado e meu amado é para mim" (2,16; 6,3).

13. Deste encontro, que cura a solidão, surge a geração e a família. Este é um segundo detalhe, que podemos evidenciar: Adão, que é também o homem de todos os tempos e de todas as regiões do nosso planeta, juntamente com a sua esposa dá origem a uma nova família, como afirma Jesus citando o Gênesis: "se unirá à sua mulher, e os dois formarão uma só carne" (Mt 19,5; cf. Gn 2,24). No original hebraico, o verbo "unir-se" indica uma estreita sintonia, uma adesão física e interior, a ponto de se utilizar para descrever a união com Deus, como canta o orante: "A ti está ligada a minha alma" (Sl 63/62,9). Deste modo, evoca-se a união matrimonial não apenas na sua dimensão sexual e corpórea, mas também na sua doação voluntária de amor. O fruto desta união é "tornar-se uma só carne", quer no abraço físico, quer na união dos corações e das vidas e, porventura, no filho que nascerá dos dois e,

em si mesmo, há de levar as duas "carnes", unindo-as genética e espiritualmente.

Os teus filhos como brotos de oliveira

14. Retomemos o canto do Salmista. Lá, dentro da casa onde o homem e a sua esposa estão sentados à mesa, aparecem os filhos que os acompanham "como brotos de oliveira" (Sl 128/127,3), isto é, cheios de energia e vitalidade. Se os pais são como que os alicerces da casa, os filhos constituem as "pedras vivas" da família (cf. 1Pd 2,5).É significativo que, no Antigo Testamento, a palavra que aparece mais vezes depois da designação divina (*YHWH*, o "Senhor") é "filho" (*ben*), um termo que remete para o verbo hebraico que significa "construir" (*banah*). Por isso, em outro Salmo, exalta-se o dom dos filhos com imagens que aludem quer à edificação de uma casa, quer à vida social e comercial que se desenrolava nas portas da cidade: "Se o Senhor não construir a casa, é inútil o cansaço dos pedreiros. (…) Os filhos são herança do Senhor, é graça sua o fruto do ventre. Como flechas na mão de um guerreiro são os filhos gerados na juventude. Feliz o homem que tem uma aljava cheia deles: não ficará humilhado quando vier à porta para tratar com seus inimigos" (Sl 127/126,1.3-5). É verdade que estas imagens refletem a cultura de uma sociedade antiga, mas a presença dos filhos é, em todo o caso,

um sinal de plenitude da família na continuidade da mesma história de salvação, de geração em geração.

15. Sob esta luz, podemos ver outra dimensão da família. Sabemos que, no Novo Testamento, se fala da "igreja que se reúne em casa" (cf. 1Cor 16,19; Rm 16,5; Cl 4,15; Fm 2). O espaço vital de uma família podia transformar-se em igreja doméstica, em local da Eucaristia, da presença de Cristo sentado à mesma mesa. Inesquecível é a cena descrita no Apocalipse: "Eis que estou à porta e bato; se alguém ouvir minha voz e abrir a porta, eu entrarei na sua casa e tomaremos a refeição, eu com ele e ele comigo" (3,20). Esboça-se assim uma casa que abriga no seu interior a presença de Deus, a oração comum e, por conseguinte, a bênção do Senhor. Isto mesmo se afirma na aclamação final do Salmo 128, que nos serviu de base: "Assim será abençoado o homem que teme o Senhor. De Sião o Senhor te abençoe!" (v. 4-5).

16. A Bíblia considera a família também como o local da catequese dos filhos. Vê-se isto claramente na descrição da celebração pascal (cf. Ex 12,26-27; Dt 6,20-25) – mais tarde explicitado na *haggadah* judaica –, concretamente no diálogo que acompanha o rito da ceia pascal. Eis como um Salmo exalta o anúncio familiar da fé: "O que nós ouvimos, o que aprendemos, o que nossos pais nos contaram, não ocultaremos a seus filhos; mas vamos contar à geração seguinte as glórias

do Senhor, o seu poder e os prodígios que operou. Ele estabeleceu uma regra em Jacó, pôs uma lei em Israel; ordenou a nossos pais que a ensinassem a seus filhos, para que tomasse conhecimento a geração seguinte, a dos filhos que vão nascer, que por sua vez dirão a seus filhos" (Sl 78/77,3-6). Por isso, a família é o lugar onde os pais se tornam os primeiros mestres da fé para seus filhos. É uma tarefa "artesanal", pessoa a pessoa: "E quando teu filho, amanhã, te perguntar (…) tu lhe dirás…" (Ex 13,14). Assim, entoarão o seu canto ao Senhor as diferentes gerações, "rapazes e moças, os velhos junto com as crianças" (Sl 148,12).

17. Os pais têm o dever de cumprir, com seriedade, a sua missão educativa, como ensinam frequentemente os sábios da Bíblia (cf. Pr 3,11-12; 6,20-22; 13,1; 22,15; 23,13-14; 29,17). Os filhos são chamados a receber e praticar o mandamento "honra teu pai e tua mãe" (Ex 20,12), querendo o verbo "honrar" indicar o cumprimento das obrigações familiares e sociais em toda a sua plenitude, sem os transcurar com desculpas religiosas (cf. Mc 7,11-13). Com efeito, "quem honra seu pai intercederá pelos pecados, evitará cair neles e será ouvido na oração cotidiana. Quem respeita sua mãe é como alguém que ajunta tesouros" (Eclo 3,3-4).

18. O Evangelho lembra-nos também que os filhos não são uma propriedade da família, mas espera-os o seu caminho pessoal de vida. Se é verdade que Jesus

Se apresenta como modelo de obediência a seus pais terrenos, submetendo-Se a eles (cf. Lc 2,51), também é certo que Ele faz ver que a escolha de vida do filho e a sua própria vocação cristã podem exigir uma separação para realizar a entrega de si mesmo ao Reino de Deus (cf. Mt 10,34-37; Lc 9,59-62). Mais ainda! Ele próprio, aos doze anos, responde a Maria e a José que tem uma missão mais alta a realizar para além da sua família histórica (cf. Lc 2,48-50). Por isso, exalta a necessidade de outros laços mais profundos, mesmo dentro das relações familiares: "Minha mãe e meus irmãos são estes: os que ouvem a Palavra de Deus e a põem em prática" (Lc 8,21). Por outro lado, Jesus presta tal atenção às crianças – consideradas, na sociedade do Oriente Médio antigo, como sujeitos sem particulares direitos e inclusivamente como parte da propriedade familiar –, que chega ao ponto de propô-las aos adultos como mestres, devido à sua confiança simples e espontânea nos outros. "Em verdade vos digo, se não vos converterdes e não vos tornardes como crianças, não entrareis no Reino dos Céus. Quem se faz pequeno como esta criança, este é o maior no Reino dos Céus" (Mt 18,3-4).

Um rastro de sofrimento e sangue

19. O idílio que o Salmo 128 apresenta não nega uma amarga realidade que marca toda a Sagrada Escritura: é a presença do sofrimento, do mal, da violência,

que dilaceram a vida da família e a sua comunhão íntima de vida e de amor. Não é de estranhar que o discurso de Cristo sobre o matrimônio (cf. Mt 19,3-9) apareça inserido em uma disputa a respeito do divórcio. A Palavra de Deus é testemunha constante desta dimensão obscura que assoma já nos primórdios, quando, com o pecado, a relação de amor e pureza entre o homem e a mulher se transforma em um domínio: "Teus desejos te arrastarão para teu marido, e ele te dominará" (Gn 3,16).

20. É um rastro de sofrimento e sangue que atravessa muitas páginas da Bíblia, a começar pela violência fratricida de Caim contra Abel e dos vários litígios entre os filhos e entre as esposas dos patriarcas Abraão, Isaac e Jacó, passando pelas tragédias que cobrem de sangue a família de Davi, até as numerosas dificuldades familiares que registra a história de Tobias ou a confissão amarga de Jó abandonado: Deus "afastou de mim os meus irmãos, e meus parentes, como estranhos, me evitaram. (…) Minha mulher enojou-se do meu hálito e tornei-me asqueroso aos filhos de minha mãe" (Jó 19,13.17).

21. O próprio Jesus nasce em uma família modesta, que à pressa tem de fugir para uma terra estrangeira. Entra na casa de Pedro, onde a sua sogra está doente (cf. Mc 1,29-31), deixa-Se envolver no drama da morte na casa de Jairo ou no lar de Lázaro (cf. Mc 5,22-24.35-43; Jo 11,1-44), ouve o pranto desesperado da viúva de Naim

pelo seu filho morto (cf. Lc 7,11-15); atende o grito do pai do epiléptico em uma pequena povoação rural (cf. Mc 9,17-27). Encontra-Se com publicanos, como Mateus ou Zaqueu, nas suas próprias casas (cf. Mt 9,9-13; Lc 19,1-10), e também com pecadoras, como a mulher que invade a casa do fariseu (cf. Lc 7,36-50). Conhece as ansiedades e as tensões das famílias, inserindo-as nas suas parábolas: desde filhos que deixam a própria casa para tentar alguma aventura (cf. Lc 15,11-32) até filhos difíceis com comportamentos inexplicáveis (cf. Mt 21,28-31) ou vítimas da violência (cf. Mc 12,1-9). Interessa-Se ainda pela situação embaraçosa que se vive nas bodas pela falta de vinho (cf. Jo 2,1-10) ou pela recusa dos convidados a participar nelas (cf. Mt 22,1-10), e conhece também o pesadelo que representa a perda de uma moeda em uma família pobre (cf. Lc 15,8-10).

22. Nesta breve resenha, podemos comprovar que a Palavra de Deus não se apresenta como uma sequência de teses abstratas, mas como uma companheira de viagem, mesmo para as famílias que estão em crise ou imersas em alguma tribulação, mostrando-lhes a meta do caminho, quando Deus enxugar "toda lágrima dos seus olhos. A morte não existirá mais, e não haverá mais luto, nem grito, nem dor" (Ap 21,4).

O fruto do teu próprio trabalho

23. No início do Salmo 128, o pai é apresentado como um trabalhador que pode, com a obra das suas mãos, manter o bem-estar físico e a serenidade da sua família: "Viverás do trabalho de tuas mãos, viverás feliz e satisfeito" (v. 2). O fato de o trabalho ser uma parte fundamental da dignidade da vida humana deduz-se das primeiras páginas da Bíblia, quando se afirma que Deus "tomou o homem e o colocou no Jardim do Éden, para o cultivar e guardar" (Gn 2,15). Temos aqui a imagem do trabalhador que transforma a matéria e aproveita as energias da criação, fazendo nascer o "pão ganho com suor" (Sl 127/126,2), para além de cultivar a si mesmo.

24. O trabalho torna possível simultaneamente o desenvolvimento da sociedade, o sustento da família e também a sua estabilidade e fecundidade: "Possas ver Jerusalém feliz todos os dias de tua vida. E vejas os filhos de teus filhos" (Sl 128/127,5-6). No livro dos Provérbios, realça-se também a tarefa da mãe de família, cujo trabalho aparece descrito em suas múltiplas situações diárias, merecendo o elogio do marido e dos filhos (cf. 31,10-31). O próprio apóstolo Paulo sentia-se orgulhoso por ter vivido sem ser um fardo para os outros, porque trabalhou com as suas mãos, garantindo-se deste modo o sustento (cf. At 18,3; 1Cor 4,12; 9,12). Estava tão convencido da necessidade do

trabalho, que estabeleceu esta férrea norma para as suas comunidades: "Quem não quer trabalhar também não coma" (2Ts 3,10; cf. 1Ts 4,11).

25. Dito isto, compreende-se que o desemprego e a precariedade laboral gerem sofrimento, como atesta o livro de Rute e como lembra Jesus na parábola dos trabalhadores sentados, em ócio forçado, na praça da localidade (cf. Mt 20,1-16), ou como pôde verificar pessoalmente vendo-Se muitas vezes rodeado de necessitados e famintos. Isto mesmo vive tragicamente a sociedade atual em muitos países, e esta falta de emprego afeta, de várias maneiras, a serenidade das famílias.

26. Também não podemos esquecer a degeneração que o pecado introduz na sociedade, quando o homem se comporta como um tirano com a natureza, devastando-a, utilizando-a de forma egoísta e até brutal. Como consequência, temos, simultaneamente, a desertificação do solo (cf. Gn 3,17-19) e os desequilíbrios econômicos e sociais, contra os quais se levanta, abertamente, a voz dos profetas, desde Elias (cf. 1Rs 21) até chegar às palavras que o próprio Jesus pronuncia contra a injustiça (cf. Lc 12,13-21; 16,1-31).

A ternura do abraço

27. Como distintivo dos seus discípulos, Cristo pôs sobretudo a lei do amor e do dom de si mesmo aos

outros (cf. Mt 22,39; Jo 13,34), e o fez por meio do princípio que um pai ou uma mãe costumam testemunhar na sua própria vida: "Ninguém tem amor maior do que aquele que dá a vida por seus amigos" (Jo 15,13). Frutos do amor são também a misericórdia e o perdão. Nesta linha, é emblemática a cena que nos apresenta uma adúltera na explanada do templo de Jerusalém, primeiro, rodeada pelos seus acusadores e, depois, sozinha com Jesus, que não a condena, mas a convida a uma vida mais digna (cf. Jo 8,1-11).

28. No horizonte do amor, essencial na experiência cristã do matrimônio e da família, destaca-se ainda outra virtude, um pouco ignorada nestes tempos de relações frenéticas e superficiais: a ternura. Detenhamo-nos no terno e denso Salmo 131, onde – como se observa, aliás, em outros textos (cf. Ex 4,22; Is 49,15; Sl 27/26,10) – a união entre o fiel e o seu Senhor é expressa com traços de amor paterno e materno. Lá aparece a intimidade delicada e carinhosa entre a mãe e o seu bebê, um recém-nascido que dorme nos braços de sua mãe depois de ter sido amamentado. Como indica a palavra hebraica *gamùl*, trata-se de um menino que acaba de mamar e se agarra conscientemente à mãe que o leva ao colo. É, pois, uma intimidade consciente, e não meramente biológica. Por isso canta o Salmista: "Antes, me acalmo e tranquilizo, como criança desmamada no colo da mãe" (Sl 131/130,2). Paralelamente, podemos

ver outra cena na qual o profeta Oseias atribui a Deus, visto como pai, estas palavras comoventes: "Quando Israel era criança eu o amava (…), sim, fui eu quem ensinou Efraim a andar, segurando-o pela mão (…). Só que eles não percebiam que era eu quem deles cuidava" (Os 11,1.3-4).

29. Com este olhar feito de fé e amor, de graça e compromisso, de família humana e Trindade divina, contemplamos a família que a Palavra de Deus confia nas mãos do marido, da esposa e dos filhos, para que formem uma comunhão de pessoas que seja imagem da união entre o Pai, o Filho e o Espírito Santo. Por sua vez, a atividade geradora e educativa é um reflexo da obra criadora do Pai. A família é chamada a compartilhar a oração diária, a leitura da Palavra de Deus e a comunhão eucarística, para fazer crescer o amor e tornar-se cada vez mais um templo onde habita o Espírito.

30. Cada família tem diante de si o ícone da família de Nazaré, com o seu dia a dia feito de fadigas e até de pesadelos, como quando teve que sofrer a violência incompreensível de Herodes, experiência que ainda hoje se repete tragicamente em muitas famílias de refugiados descartados e indefesos. Como os Magos, as famílias são convidadas a contemplar o Menino com sua Mãe, a prostrar-se e adorá-Lo (cf. Mt 2,11). Como Maria, as famílias são exortadas a viver, com coragem e serenidade, os desafios familiares tristes e entusiasmantes, e

a guardar e meditar no coração as maravilhas de Deus (cf. Lc 2,19.51). No tesouro do coração de Maria, estão também todos os acontecimentos de cada uma das nossas famílias, que Ela guarda solicitamente. Por isso pode ajudar-nos a interpretá-los de modo a reconhecer a mensagem de Deus na história familiar.

Capítulo II
A REALIDADE E OS DESAFIOS DAS FAMÍLIAS

31. O bem da família é decisivo para o futuro do mundo e da Igreja. Inúmeras são as análises feitas sobre o matrimônio e a família, sobre as suas dificuldades e desafios atuais. É salutar prestar atenção à realidade concreta, porque "os pedidos e os apelos do Espírito ressoam também nos acontecimentos da história" através dos quais "a Igreja pode ser guiada para uma compreensão mais profunda do inexaurível mistério do matrimônio e da família".[8] Não tenho a pretensão de apresentar aqui tudo o que poderia ser dito sobre os vários temas relacionados com a família no contexto atual. Mas, dado que os Padres sinodais ofereceram um panorama da realidade das famílias de todo o mundo, considero oportuno recolher algumas das suas contribuições pastorais, acrescentando outras preocupações derivadas da minha própria visão.

---

[8] FC, n. 4.

A situação atual da família

32. "Fiéis ao ensinamento de Cristo, olhamos a realidade atual da família em toda a sua complexidade, nas suas luzes e sombras. (…) Hoje, a mudança antropológico-cultural influencia todos os aspectos da vida e requer uma abordagem analítica e diversificada".[9] Já no contexto de várias décadas atrás, os bispos da Espanha reconhecem uma realidade doméstica com mais espaços de liberdade, "com uma distribuição equitativa de encargos, responsabilidades e tarefas (…). Valorizando mais a comunicação pessoal entre os esposos, contribui-se para humanizar toda a vida familiar. (…) Nem a sociedade em que vivemos nem aquela para onde caminhamos permitem a sobrevivência indiscriminada de formas e modelos do passado".[10] Mas "estamos cientes da orientação principal das mudanças antropológico-culturais, em virtude das quais os indivíduos são menos apoiados do que no passado pelas estruturas sociais na sua vida afetiva e familiar".[11]

33. Por outro lado, "há que considerar o crescente perigo representado por um individualismo exagerado que desvirtua os laços familiares e acaba por considerar

---

[9] *Relatio Synodi* 2014, n. 5.
[10] Conferência Episcopal Espanhola, *Matrimonio y familia* (6 de julho de 1979), 3.16.23.
[11] *Relatio Finalis* 2015, n. 5.

cada componente da família como uma ilha, fazendo prevalecer, em certos casos, a ideia de um sujeito que se constrói segundo os seus próprios desejos assumidos com caráter absoluto".[12] "As tensões induzidas por uma exasperada cultura individualista da posse e do gozo geram, no âmbito das famílias, dinâmicas de intolerância e agressividade".[13] Gostaria de acrescentar o ritmo da vida atual, o estresse, a organização social e laboral, porque são fatores culturais que colocam em risco a possibilidade de opções permanentes. Ao mesmo tempo, encontramo-nos perante fenômenos ambíguos. Por exemplo, aprecia-se uma personalização que aposte na autenticidade em vez de reproduzir comportamentos prefixados. É um valor que pode promover as diferentes capacidades e a espontaneidade, mas, se for mal orientado, pode criar atitudes de permanente suspeita, fuga dos compromissos, confinamento no conforto, arrogância. A liberdade de escolher permite projetar a própria vida e cultivar o melhor de si mesmo, mas, se não se tiver objetivos nobres e disciplina pessoal, degenera em uma incapacidade de se dar generosamente. De fato, em muitos países onde diminui o número de matrimônios, cresce o número de pessoas que decidem viver sozinhas ou que convivem sem coabitar. Podemos assinalar também um louvável sentido de justiça; mas,

---

[12] *Relatio Synodi* 2014, n. 5.
[13] *Relatio Finalis* 2015, n. 8.

mal compreendido, transforma os cidadãos em clientes que só exigem o cumprimento de serviços.

34. Se estes riscos se transpõem para o modo de compreender a família, esta pode transformar-se em um lugar de passagem, aonde uma pessoa vai quando lhe parecer conveniente para si mesma ou para reclamar direitos, enquanto os vínculos são deixados à precariedade volúvel dos desejos e das circunstâncias. No fundo, hoje é fácil confundir a liberdade genuína com a ideia de que cada um julga como lhe parece, como se, para além dos indivíduos, não houvesse verdades, valores, princípios que nos guiam, como se tudo fosse igual e tudo se devesse permitir. Neste contexto, o ideal matrimonial com um compromisso de exclusividade e estabilidade acaba por ser destruído pelas conveniências contingentes ou pelos caprichos da sensibilidade. Teme-se a solidão, deseja-se um espaço de proteção e fidelidade, mas, ao mesmo tempo, cresce o medo de ficar encurralado em uma relação que possa adiar a satisfação das aspirações pessoais.

35. Como cristãos, não podemos renunciar a propor o matrimônio, para não contradizer a sensibilidade atual, para estar na moda, ou por sentimentos de inferioridade face ao descalabro moral e humano; estaríamos privando o mundo dos valores que podemos e devemos oferecer. É verdade que não tem sentido limitar-nos a uma denúncia retórica dos males atuais, como se isso pudesse mudar qualquer coisa. De nada serve também

querer impor normas pela força da autoridade. É-nos pedido um esforço mais responsável e generoso, que consiste em apresentar as razões e os motivos para se optar pelo matrimônio e a família, de modo que as pessoas estejam mais bem preparadas para responder à graça que Deus lhes oferece.

36. Ao mesmo tempo devemos ser humildes e realistas, para reconhecer que às vezes a nossa maneira de apresentar as convicções cristãs e a forma como tratamos as pessoas ajudaram a provocar o que hoje nos leva a lamentar, pelo que nos convém uma salutar reação de autocrítica. Além disso, muitas vezes apresentamos de tal maneira o matrimônio que o seu fim unitivo, o convite a crescer no amor e o ideal de ajuda mútua ficaram ofuscados por uma ênfase quase exclusiva no dever da procriação. Também não fizemos um bom acompanhamento dos jovens casais nos seus primeiros anos, com propostas adaptadas aos seus horários, às suas linguagens, às suas preocupações mais concretas. Outras vezes, apresentamos um ideal teológico do matrimônio demasiado abstrato, construído quase artificialmente, distante da situação concreta e das possibilidades efetivas das famílias tais como são. Esta excessiva idealização, sobretudo quando não despertamos a confiança na graça, não fez com que o matrimônio fosse mais desejável e atraente; muito pelo contrário.

37. Durante muito tempo, pensamos que, com a simples insistência em questões doutrinais, bioéticas e morais, sem motivar a abertura à graça, já apoiávamos suficientemente as famílias, consolidávamos o vínculo dos esposos e enchíamos de sentido as suas vidas compartilhadas. Temos dificuldade em apresentar o matrimônio mais como um caminho dinâmico de crescimento e realização do que como um fardo a carregar a vida inteira. Também nos custa deixar espaço à consciência dos fiéis, que muitas vezes respondem da melhor forma que podem ao Evangelho no meio dos seus limites e são capazes de realizar o seu próprio discernimento perante situações em que se rompem todos os esquemas. Somos chamados a formar as consciências, não a pretender substituí-las.

38. Devemos dar graças, pois a maioria das pessoas valoriza as relações familiares que permanecem no tempo e garantem o respeito pelo outro. Por isso, aprecia-se que a Igreja ofereça espaços de apoio e aconselhamento sobre questões relacionadas com o crescimento do amor, a superação dos conflitos e a educação dos filhos. Muitos estimam a força da graça que experimentam na Reconciliação sacramental e na Eucaristia, que lhes permite enfrentar os desafios do matrimônio e da família. Em alguns países, especialmente em várias partes da África, o secularismo não conseguiu enfraquecer alguns valores tradicionais e, em

cada matrimônio, gera-se uma forte união entre duas famílias alargadas, onde se conserva ainda um sistema bem definido de gestão de conflitos e dificuldades. No mundo atual, aprecia-se também o testemunho dos cônjuges que não se limitam a perdurar no tempo, mas continuam a sustentar um projeto comum e conservam o afeto. Isto abre a porta a uma pastoral positiva, acolhedora, que torna possível um aprofundamento gradual das exigências do Evangelho. No entanto, muitas vezes agimos na defensiva e gastamos as energias pastorais multiplicando os ataques ao mundo decadente, com pouca capacidade de propor e indicar caminhos de felicidade. Muitos não sentem a mensagem da Igreja sobre o matrimônio e a família como um reflexo claro da pregação e das atitudes de Jesus, o qual, ao mesmo tempo em que propunha um ideal exigente, não perdia jamais a proximidade compassiva às pessoas frágeis como a samaritana ou a mulher adúltera.

39. Isto não significa deixar de advertir a decadência cultural que não promove o amor e a doação. As consultas que antecederam os dois últimos Sínodos trouxeram à luz vários sintomas da "cultura do provisório". Refiro-me, por exemplo, à rapidez com que as pessoas passam de uma relação afetiva para outra. Creem que o amor, como acontece nas redes sociais, possa ser conectado ou desconectado ao gosto do consumidor e inclusive bloqueado rapidamente. Penso também no

medo que desperta a perspectiva de um compromisso permanente, na obsessão pelo tempo livre, nas relações que medem custos e benefícios e se mantêm apenas caso sejam um meio para remediar a solidão, ter proteção ou receber algum serviço. Transpõe-se para as relações afetivas o que acontece com os objetos e o meio ambiente: tudo é descartável, cada um usa e joga fora, gasta e rompe, aproveita e espreme enquanto serve; depois, adeus. O narcisismo torna as pessoas incapazes de olhar para além de si mesmas, de seus desejos e necessidades. Mas quem usa o outro, mais cedo ou mais tarde, acaba por ser usado, manipulado e abandonado com a mesma lógica. Faz impressão ver que as rupturas ocorrem, frequentemente, entre adultos já de meia-idade que buscam uma espécie de "autonomia" e rejeitam o ideal de envelhecer juntos cuidando-se e apoiando-se.

40. "Correndo o risco de simplificar, poderemos dizer que vivemos em uma cultura que impele os jovens a não formarem uma família, porque privam-nos de possibilidades para o futuro. Mas esta mesma cultura apresenta a outros tantas opções que também eles são dissuadidos de formar uma família".[14] Em alguns países, muitos jovens "Com frequência são induzidos a adiar as núpcias devido a problemas de tipo econômico, de

---

[14] FRANCISCO. *Discurso ao Congresso dos Estados Unidos da América* (24 de setembro de 2015): *L'Osservatore Romano* (ed. semanal portuguesa de 1º/10/2015), 9.

trabalho ou de estudo. Por vezes também por outros motivos, como a influência das ideologias que desvalorizam o matrimônio e a família, a experiência do fracasso de outros casais que constituem um risco que eles não querem correr, o receio em relação a algo que consideram demasiado grande e sagrado, as oportunidades sociais e as vantagens econômicas que derivam da convivência, um conceito meramente emotivo e romântico do amor, o medo de perder a liberdade e a autonomia, a rejeição de algo concebido como institucional e burocrático".[15] Precisamos encontrar as palavras, as motivações e os testemunhos que nos ajudem a tocar o íntimo dos jovens, onde são mais capazes de generosidade, de compromisso, de amor e até mesmo de heroísmo, para convidá-los a aceitar, com entusiasmo e coragem, o desafio de matrimônio.

41. Os Padres sinodais aludiram a certas "tendências culturais que parecem impor uma afetividade sem qualquer limitação, (…) uma afetividade narcisista, instável e mutável que não ajuda os sujeitos a atingir uma maior maturidade". Preocupa a "difusão da pornografia e da comercialização do corpo, favorecida, entre outras coisas, por um uso distorcido da internet" e pela "situação das pessoas que são obrigadas a praticar a prostituição". Neste contexto, por vezes os

---

[15] *Relatio Finalis* 2015, n. 29.

casais sentem-se inseguros, indecisos, custando-lhes a encontrar as formas para crescer. Muitos são aqueles que tendem a ficar nos estágios primários da vida emocional e sexual. A crise do casal desestabiliza a família e pode chegar, através das separações e dos divórcios, a ter sérias consequências para os adultos, os filhos e a sociedade, enfraquecendo o indivíduo e os laços sociais.[16] As crises conjugais são "enfrentadas muitas vezes de modo apressado e sem a coragem da paciência, da averiguação, do perdão recíproco, da reconciliação e até do sacrifício. Deste modo os fracassos dão origem a novas relações, novos casais, novas uniões e novos casamentos, criando situações familiares complexas e problemáticas para a opção cristã".[17]

42. "A própria queda demográfica, causada por uma mentalidade antinatalista e promovida pelas políticas mundiais de saúde reprodutiva, não só determina uma situação em que a sucessão das gerações deixa de estar garantida, mas corre-se o risco de levar, com o tempo, a um empobrecimento econômico e a uma perda de esperança no futuro. O avanço das biotecnologias também teve um forte impacto sobre a natalidade".[18]

---

[16] *Relatio Synodi* 2014, n. 10.
[17] III Assembleia Geral Extraordinária do Sínodo dos Bispos, *Mensagem* (18 de outubro de 2014): *L'Osservatore Romano* (ed. semanal portuguesa de 23/10/2014), 7.
[18] *Relatio Synodi* 2014, n. 10.

Podem juntar-se outros fatores, como "a industrialização, a revolução sexual, o receio da superpopulação, os problemas econômicos (…). A sociedade de consumo pode também dissuadir as pessoas de ter filhos, com o único motivo de manter a sua liberdade e o seu estilo de vida".[19] É verdade que a consciência reta dos esposos, quando foram muito generosos na transmissão da vida, pode orientá-los para a decisão de limitar o número dos filhos por razões suficientemente sérias; e também "por amor a esta dignidade da consciência, a Igreja rejeita com todas as suas forças as intervenções coercitivas do Estado a favor da contracepção, da esterilização ou até do aborto".[20] Estas medidas são inaceitáveis mesmo em áreas com alta taxa de natalidade, mas é notável que os políticos as incentivem também em alguns países que sofrem o drama de uma taxa de natalidade muito baixa. Como assinalaram os bispos da Coreia, isto é "agir de forma contraditória e negligenciando o próprio dever".[21]

43. O enfraquecimento da fé e da prática religiosa, em algumas sociedades, afeta as famílias, deixando-as ainda mais sós com as suas dificuldades. Os Padres disseram que "uma das maiores pobrezas da cultura atual é a solidão, fruto da ausência de Deus na vida

---

[19] *Relatio Finalis* 2015, n. 7.
[20] Ibidem, n. 63.
[21] Conferência dos Bispos católicos da Coreia, *Towards a culture of life!* (15 de março de 2007).

das pessoas e da fragilidade das relações. Há também uma sensação geral de impotência face à realidade socioeconômica que, muitas vezes, acaba por esmagar as famílias. (…) Frequentemente as famílias sentem-se abandonadas pelo desinteresse e a pouca atenção das instituições. As consequências negativas sob o ponto de vista da organização social são evidentes: da crise demográfica às dificuldades educativas, da fadiga em acolher a vida nascente ao sentir a presença dos idosos como um peso, até a difusão de um mal-estar afetivo que às vezes chega à violência. O Estado tem a responsabilidade de criar as condições legislativas e laborais para garantir o futuro dos jovens e ajudá-los a realizar o seu projeto de formar uma família".[22]

44. A falta de uma habitação digna ou adequada leva muitas vezes a adiar a formalização de uma relação. É preciso lembrar que "a família tem direito a uma habitação condigna, apropriada para a vida familiar e proporcional ao número dos seus membros, em um ambiente fisicamente sadio que proporcione os serviços básicos para a vida da família e da comunidade".[23] Uma família e uma casa são duas realidades que se exigem mutuamente. Este exemplo mostra que devemos insistir nos direitos da família, e não apenas nos direitos

---

[22] *Relatio Synodi* 2014, n. 6.
[23] Pont. Conselho para a Família, *Carta dos direitos da família* (22 de outubro de 1983), 11.

individuais. A família é um bem de que a sociedade não pode prescindir, mas precisa ser protegida.[24] A defesa destes direitos é "um apelo profético a favor da instituição familiar, que deve ser respeitada e defendida contra toda a agressão",[25] sobretudo no contexto atual em que habitualmente ocupa pouco espaço nos projetos políticos. As famílias têm, entre outros direitos, o de "poder contar com uma adequada política familiar por parte das autoridades públicas no campo jurídico, econômico, social e fiscal".[26] Às vezes as angústias das famílias tornam-se dramáticas, quando têm de enfrentar a doença de um ente querido sem acesso a serviços de saúde adequados, ou quando se prolonga o tempo sem ter conseguido um emprego decente. "As coerções econômicas excluem as famílias do acesso à educação, à vida cultural e à vida social ativa. O atual sistema econômico produz diversas formas de exclusão social. As famílias sofrem de modo particular por causa dos problemas relativos ao trabalho. Para os jovens as possibilidades são poucas e a oferta de trabalho é muito seletiva e precária. Os dias de trabalho são longos e frequentemente sobrecarregados por muitas horas gastas para o deslocamento. Isto não ajuda os familiares

---

[24] Cf. *Relatio Finalis* 2015, n. 11-12.

[25] Pont. Conselho para a Família, *Carta dos direitos da família* (22 de outubro de 1983), introdução.

[26] Ibidem, 9.

a reencontrar-se entre si e com os filhos, de maneira a poder alimentar diariamente as suas relações".[27]

45. "Há muitos filhos nascidos fora do matrimônio, especialmente em alguns países, e muitos são os que, em seguida, crescem com um só dos progenitores e em um contexto familiar alargado ou reconstituído. (…) Por outro lado, a exploração sexual da infância constitui uma das realidades mais escandalosas e perversas da sociedade atual. Além disso, nas sociedades feridas pela violência da guerra, do terrorismo ou da presença do crime organizado, acabam deterioradas as situações familiares, sobretudo nas grandes metrópoles, e nas suas periferias cresce o chamado fenômeno dos meninos de rua".[28] O abuso sexual das crianças torna-se ainda mais escandaloso, quando se verifica em ambientes onde deveriam ser protegidas, particularmente nas famílias e nas comunidades e instituições cristãs.[29]

46. As migrações "constituem outro sinal dos tempos, que deve ser enfrentado e compreendido com todo o seu peso de consequências sobre a vida familiar".[30] O último Sínodo atribuiu grande importância a esta problemática ao reconhecer que, "atinge

---

[27] *Relatio Finalis* 2015, n. 14.
[28] *Relatio Synodi* 2014, n. 8.
[29] Cf. *Relatio Finalis* 2015, n. 78.
[30] *Relatio Synodi* 2014, n. 8.

com diferentes modalidades, a populações inteiras, em diversas partes do mundo. Neste campo a Igreja desempenhou um papel de primeira grandeza. A necessidade de manter e desenvolver este testemunho evangélico (cf. Mt 25,35) é urgente, hoje mais do que nunca. (…) A mobilidade humana, que corresponde ao natural movimento histórico dos povos, pode revelar-se uma autêntica riqueza, quer para a família que emigra quer para o país que a recebe. Diferente é a migração forçada das famílias, fruto de situações de guerra, de perseguição, de pobreza e de injustiça, marcada pelas peripécias de uma viagem que com frequência põe em perigo a vida, traumatiza as pessoas e desestabiliza as famílias. O acompanhamento dos migrantes exige uma pastoral específica destinada às famílias em migração, mas também aos membros dos núcleos familiares que permaneceram nos lugares de origem. Isto deve ser praticado no respeito das suas culturas, da formação religiosa e humana de que provêm, da riqueza espiritual dos seus ritos e tradições, também mediante um cuidado pastoral específico. (…) As migrações tornam-se particularmente dramáticas e devastadoras para as famílias e para os indivíduos quando têm lugar fora da legalidade e são apoiadas por redes internacionais de tráfico de seres humanos. Pode-se dizer o mesmo quando se referem a mulheres ou crianças desacompanhadas, obrigadas a permanências prolongadas nos lugares de passagem, nos campos de refugiados, onde é impossível dar início a um percurso de integração. Por vezes, a pobreza extrema e outras situações de desagregação induzem as famílias até a vender os próprios filhos para a prostituição ou para o tráfico de órgãos".[31] "As perseguições dos cristãos, assim como das minorias étnicas e religiosas, em diversas partes do mundo, sobretudo no Oriente Médio, representam uma grande provação: não só para a Igreja, mas também para toda a comunidade internacional. Todos os esforços devem ser apoiados para favorecer a permanência de famílias e comunidades cristãs nas suas terras de origem".[32]

47. Os Padres dedicaram especial atenção também "às famílias das pessoas com deficiência, pois quando esta irrompe na vida, gera um desafio profundo e inesperado e transtorna os equilíbrios, os desejos, as expectativas. (…) Merecem grande admiração as famílias que enfrentam com amor a difícil prova de um filho com deficiência. Elas dão à Igreja e à sociedade um precioso testemunho de fidelidade ao dom da vida. A família poderá descobrir, juntamente com a comunidade cristã, novos gestos e linguagens, formas de compreensão e de identidade, no caminho de

---

[31] *Relatio Finalis* 2015, n. 23; cf. *Mensagem para o Dia Mundial do Emigrante e do Refugiado* em 17 de janeiro de 2016 (12 de setembro de 2015): *L'Osservatore Romano* (ed. semanal portuguesa de 08/10/2015), 18-19.

[32] *Relatio Finalis* 2015, n. 24.

acolhimento e de cuidado do mistério da fragilidade. As pessoas com deficiência constituem para a família um dom e uma oportunidade para crescer no amor, na ajuda recíproca e na unidade. (…) A família que aceita, com o olhar da fé, a presença de pessoas com deficiência poderá reconhecer e garantir a qualidade e o valor de cada vida, com as suas necessidades, os seus direitos e as suas oportunidades. Ela solicitará serviços e cuidados e promoverá companhia e afeto em cada fase da vida".[33] Quero sublinhar que a atenção prestada tanto aos migrantes como às pessoas com deficiência é um sinal do Espírito. Pois ambas as situações são paradigmáticas: põem especialmente em questão o modo como se vive hoje a lógica do acolhimento misericordioso e da integração das pessoas frágeis.

48. "A maior parte das famílias respeita os idosos, circunda-os de afeto e considera-os uma bênção. Manifestamos um apreço especial às associações e aos movimentos familiares que se ocupam dos idosos, sob o aspecto espiritual e social (…). Nas sociedades altamente industrializadas, nas quais o seu número tende a aumentar enquanto a natalidade decresce, correm o risco de serem sentidos como um peso. Por outro lado, os cuidados que eles requerem muitas vezes põem à

---

[33] Ibidem, n. 21.

dura prova os seus entes queridos".³⁴ "A valorização da fase conclusiva da vida é hoje tanto mais necessária quanto mais se procura remover de qualquer forma o momento da morte. Por vezes, a fragilidade e a dependência do ancião são exploradas iniquamente por mera vantagem econômica. Numerosas famílias nos ensinam que é possível enfrentar as últimas etapas da vida valorizando o sentido do cumprimento e da integração de toda a existência no mistério pascal. Um grande número de idosos é acolhido em estruturas eclesiais, nas quais podem viver em um ambiente sereno e familiar nos planos material e espiritual. A eutanásia e o suicídio assistido são graves ameaças contra as famílias no mundo inteiro. A sua prática é legal em muitos países. Enquanto contrasta firmemente esta prática, a Igreja sente o dever de ajudar as famílias que se ocupam dos seus membros idosos e doentes".³⁵

49. Quero assinalar a situação das famílias caídas na miséria, penalizadas de tantas maneiras, onde as limitações da vida se fazem sentir de forma lancinante. Se todos têm dificuldades, estas, em uma casa muito pobre, tornam-se mais duras.³⁶ Por exemplo, se uma mulher deve criar seu filho sozinha, devido a uma

---

[34] Ibidem, n. 17.
[35] Ibidem, n. 20.
[36] Cf. ibidem, n. 15.

separação ou por outras causas, e tem de ir trabalhar sem a possibilidade de deixá-lo com outra pessoa, o filho cresce em um abandono que o expõe a todos os tipos de risco e fica comprometido o seu amadurecimento pessoal. Nas situações difíceis em que vivem as pessoas mais necessitadas, a Igreja deve dedicar especial atenção em compreender, consolar e integrar, evitando impor-lhes um conjunto de normas, tendo como resultado fazê-las sentirem-se julgadas e abandonadas precisamente pela Mãe que é chamada a levar-lhes a misericórdia de Deus. Assim, em vez de oferecer a força sanadora da graça e da luz do Evangelho, alguns querem "doutrinar" o Evangelho, transformá-lo em "pedras mortas para as jogar contra os outros".[37]

Alguns desafios

50. As respostas recebidas nas duas consultas, efetuadas no caminho sinodal, mencionaram as mais diversas situações que colocam novos desafios. Além das situações já indicadas, muitos referiram-se à função educativa, que acaba dificultada, porque, entre outras causas, os pais chegam em casa cansados e sem vontade de conversar; em muitas famílias, já não há sequer o

---

[37] FRANCISCO, *Discurso no encerramento da XIV Assembleia Geral Ordinária do Sínodo dos Bispos* (24 de outubro de 2015): *L'Osservatore Romano* (ed. semanal portuguesa de 29/10/2015), 9.

hábito de comerem juntos, e cresce uma grande variedade de ofertas de distração, para além da dependência da televisão. Isto torna difícil a transmissão da fé dos pais para os filhos. Outros assinalaram que as famílias habitualmente padecem de uma enorme ansiedade; parece haver mais preocupação por prevenir problemas futuros do que por compartilhar o presente. Isto, que é uma questão cultural, vê-se agravado por um futuro profissional incerto, pela insegurança econômica ou pelo medo em relação ao futuro dos filhos.

51. Mencionou-se também a toxicodependência como um dos flagelos do nosso tempo que faz sofrer muitas famílias e, não raro, acaba por destruí-las. Algo semelhante acontece com o alcoolismo, os jogos de azar e outras dependências. A família poderia ser o lugar da prevenção e das boas regras, mas a sociedade e a política não chegam a perceber que uma família em risco "perde a capacidade de reação para ajudar os seus membros (…). Observamos as graves consequências desta ruptura em famílias destruídas, filhos desenraizados, idosos abandonados, crianças órfãs de pais vivos, adolescentes e jovens desorientados e sem regras".[38] Como apontaram os bispos do México, há tristes situações de violência familiar que são terreno fértil para novas formas de agressividade social, porque "as relações familiares

---

[38] Conferência Episcopal Argentina, *Navega mar adentro* (31 de maio de 2003), 42.

explicam também a predisposição para uma personalidade violenta. As famílias que influem nesta direção são aquelas em que há uma comunicação deficiente; aquelas em que predominam as atitudes defensivas e os seus membros não se apoiam entre si; onde não há atividades familiares que favoreçam a participação; as famílias onde as relações entre os pais costumam ser conflituosas e violentas, e as relações pais-filhos se caracterizam por atitudes hostis. A violência no seio da família é escola de ressentimento e ódio nas relações humanas básicas".[39]

52. Ninguém pode pensar que o enfraquecimento da família como sociedade natural fundada no matrimônio seja algo que beneficia a sociedade. Antes, pelo contrário, prejudica o amadurecimento das pessoas, o cultivo dos valores comunitários e o desenvolvimento ético das cidades e das vilas. Já não se adverte claramente que só a união exclusiva e indissolúvel entre um homem e uma mulher realiza uma função social plena, por ser um compromisso estável e tornar possível a fecundidade. Devemos reconhecer a grande variedade de situações familiares que podem fornecer certa regra de vida, mas as uniões de fato ou entre pessoas do mesmo sexo, por exemplo, não podem ser simplistamente equiparadas ao matrimônio. Nenhuma união precária

---

[39] Conferência Episcopal Mexicana, *Que en Cristo Nuestra Paz México tenga vida digna* (15 de fevereiro de 2009), 67.

ou fechada à transmissão da vida garante o futuro da sociedade. E, todavia, quem se preocupa hoje com fortalecer os cônjuges, ajudá-los a superar os riscos que os ameaçam, acompanhá-los no seu papel educativo, incentivar a estabilidade da união conjugal?

53. "Em certas sociedades ainda vigora a prática da poligamia; em outros contextos, permanece a prática dos matrimônios arranjados. (…) Em muitos contextos, e não só ocidentais, está se difundindo amplamente a prática da convivência que precede o matrimônio, ou também de convivências não orientadas para assumir a forma de um vínculo institucional".[40] Em vários países, a legislação facilita o avanço de várias alternativas, de modo que um matrimônio com as características de exclusividade, indissolubilidade e abertura à vida acaba por aparecer como mais uma proposta antiquada entre muitas outras. Avança, em muitos países, uma desconstrução jurídica da família, que tende a adotar formas baseadas quase exclusivamente no paradigma da autonomia da vontade. Embora seja legítimo e justo rejeitar velhas formas de família "tradicional" caracterizada pelo autoritarismo e inclusive pela violência, isso não deveria levar ao desprezo do matrimônio, mas à redescoberta do seu verdadeiro sentido e à sua renovação. A força da família "reside essencialmente na

---

[40] *Relatio Finalis* 2015, n. 25.

sua capacidade de amar e de ensinar a amar. Por mais ferida que uma família possa estar, ela pode sempre crescer a partir do amor".[41]

54. Neste relance sobre a realidade, desejo salientar que, apesar das melhorias notáveis registradas no reconhecimento dos direitos da mulher e na sua participação no espaço público, ainda há muito que avançar em alguns países. Não se acabou ainda de erradicar costumes inaceitáveis; destaco a violência vergonhosa que, às vezes, se exerce sobre as mulheres, os maus-tratos familiares e várias formas de escravidão, que não constituem um sinal de força masculina, mas uma covarde degradação. A violência verbal, física e sexual, perpetrada contra as mulheres em alguns casais, contradiz a própria natureza da união conjugal. Penso na grave mutilação genital da mulher em algumas culturas, mas também na desigualdade de acesso a postos de trabalho dignos e aos lugares onde as decisões são tomadas. A história carrega os vestígios dos excessos das culturas patriarcais, quando a mulher era considerada um ser de segunda classe, mas recordemos também o "aluguel de ventres" ou "a instrumentalização e comercialização do corpo feminino na cultura mediática contemporânea".[42] Alguns consideram que muitos dos problemas atuais

---

[41] Ibidem, n. 10.
[42] FRANCISCO, *Catequese* (22 de abril de 2015): *L'Osservatore Romano* (ed. semanal portuguesa de 23/04/2015), 16.

ocorreram a partir da emancipação da mulher. Mas este argumento não é válido, "é falso, não é verdade! Trata-se de uma forma de machismo".[43] A idêntica dignidade entre o homem e a mulher impele a alegrar-nos com a superação de velhas formas de discriminação e o desenvolvimento de um estilo de reciprocidade dentro das famílias. Se aparecem formas de feminismo que não podemos considerar adequadas, de igual modo admiramos a obra do Espírito no reconhecimento mais claro da dignidade da mulher e dos seus direitos.

55. "Ao homem cabe um papel igualmente decisivo na vida da família, com particular referência à proteção e ao sustento da esposa e dos filhos. (...) Muitos homens têm consciência da importância do seu papel na família e vivem-no com as qualidades peculiares da índole masculina. A ausência do pai marca gravemente a vida familiar, a educação dos filhos e a sua inserção na sociedade. A sua ausência pode ser física, afetiva, cognitiva e espiritual. Esta carência priva os filhos de um modelo adequado do comportamento paterno".[44]

56. Outro desafio surge de várias formas de uma ideologia genericamente chamada "*gender*", que "nega a diferença e a reciprocidade natural de homem e mulher.

---

[43] FRANCISCO, *Catequese* (29 de abril de 2015): *L'Osservatore Romano* (ed. semanal portuguesa de 30/04/2015), 16.

[44] *Relatio Finalis* 2015, n. 28.

Ela apresenta uma sociedade sem diferenças de sexo, esvaziando a base antropológica da família. Esta ideologia induz a projetos educativos e a orientações legais que promovem uma identidade pessoal e uma intimidade afetiva radicalmente desvinculadas da diversidade biológica entre homem e mulher. A identidade humana é entregue a uma opção individualista, também variável no tempo".[45] Preocupa o fato de algumas ideologias deste tipo, que pretendem dar resposta a certas aspirações por vezes compreensíveis, procurarem impor-se como pensamento único que determina até mesmo a educação das crianças. É preciso não esquecer que "sexo biológico (*sex*) e função sociocultural do sexo (*gender*), podem-se distinguir, mas não separar".[46] Por outro lado, "a revolução biotecnológica no campo da procriação humana introduziu a possibilidade de manipular o ato generativo, tornando-o independente da relação sexual entre homem e mulher. Desse modo, a vida humana e a paternidade e a maternidade tornaram-se realidades componíveis e decomponíveis, predominantemente sujeitas aos desejos de indivíduos ou de casais".[47] Uma coisa é compreender a fragilidade humana ou a complexidade da vida, e outra é aceitar ideologias que pretendem dividir em dois os aspectos inseparáveis

---

[45] Ibidem, n. 8.
[46] Ibidem, n. 58.
[47] Ibidem, n. 33.

da realidade. Não caiamos no pecado de pretender substituir-nos ao Criador. Somos criaturas, não somos onipotentes. A criação precede-nos e deve ser recebida como um dom. Ao mesmo tempo somos chamados a guardar a nossa humanidade, e isto significa, antes de tudo, aceitá-la e respeitá-la como ela foi criada.

57. Dou graças a Deus porque muitas famílias, que estão bem longe de se considerarem perfeitas, vivem no amor, realizam a sua vocação e continuam caminhando, embora caiam muitas vezes ao longo do caminho. Partindo das reflexões sinodais, não se chega a um estereótipo da família ideal, mas um interpelante mosaico formado por muitas realidades diferentes, cheias de alegrias, dramas e sonhos. As realidades que nos preocupam, são desafios. Não caiamos na armadilha de nos consumirmos em lamentações autodefensivas, em vez de suscitar uma criatividade missionária. Em todas as situações, "a Igreja sente a necessidade de dizer uma palavra de verdade e de esperança. (…) Os grandes valores do matrimônio e da família cristã correspondem à busca que atravessa a existência humana".[48] Se constatamos muitas dificuldades, estas são – como disseram os bispos da Colômbia – um apelo para "libertar em nós as energias da esperança,

---

[48] *Relatio Synodi* 2014, n. 11.

traduzindo-as em sonhos proféticos, ações transformadoras e imaginação da caridade".[49]

---

[49] Conferência Episcopal da Colômbia, *A tiempos difíciles, colombianos nuevos* (13 de fevereiro de 2003), 3.

Capítulo III
O OLHAR FIXO EM JESUS: A VOCAÇÃO DA FAMÍLIA

58. Diante das famílias e no meio delas, deve ressoar sempre de novo o primeiro anúncio, que é o "mais belo, mais importante, mais atraente e, ao mesmo tempo, mais necessário"[50] e "deve ocupar o centro da atividade evangelizadora".[51] É o anúncio principal, "aquele que sempre se tem de voltar a ouvir de diferentes maneiras e aquele que sempre se tem de voltar a anunciar, de uma forma ou de outra".[52] Porque "nada há de mais sólido, mais profundo, mais seguro, mais consistente e mais sábio que esse anúncio" e "toda a formação cristã é, primariamente, o aprofundamento do querigma".[53]

59. O nosso ensinamento sobre o matrimônio e a família não pode deixar de se inspirar e transfigurar à luz deste anúncio de amor e ternura, se não quiser

---

[50] EG, n. 35.
[51] Ibidem, n. 164: o. c., 1088.
[52] Idem.
[53] Ibidem, n. 165: o. c., 1089.

tornar-se mera defesa de uma doutrina fria e sem vida. Com efeito, o próprio mistério da família cristã só se pode compreender plenamente à luz do amor infinito do Pai, que se manifestou em Cristo entregue até o fim e vivo entre nós. Por isso, quero contemplar Cristo vivo que está presente em tantas histórias de amor e invocar o fogo do Espírito sobre todas as famílias do mundo.

60. Dentro deste quadro, o presente capítulo recolhe uma síntese da doutrina da Igreja sobre o matrimônio e a família. Também aqui citarei várias contribuições prestadas pelos Padres sinodais nas suas considerações acerca da luz que a fé nos oferece. Eles partiram do olhar de Jesus, dizendo que Ele "olhou para as mulheres e os homens que encontrou com amor e ternura, acompanhando os seus passos com verdade, paciência e misericórdia, ao anunciar as exigências do Reino de Deus".[54] De igual modo, acompanha-nos hoje o Senhor em nosso compromisso de viver e transmitir o Evangelho da família.

Jesus recupera e realiza plenamente o projeto divino

61. Contrariamente aos que proibiam o matrimônio, o Novo Testamento ensina que "toda criatura de

---

[54] *Relatio Synodi* 2014, n. 12.

Deus é boa, e não se deve rejeitar coisa alguma" (1Tm 4,4). O matrimônio é um "dom" do Senhor (cf. 1Cor 7,7). Ao mesmo tempo em que se dá esta avaliação positiva, acentua-se fortemente a obrigação de cuidar deste dom divino: "o matrimônio seja honrado por todos, e o leito conjugal, sem mancha" (Hb 13,4). Este dom de Deus inclui a sexualidade: "Não vos recuseis um ao outro" (1Cor 7,5).

62. Os Padres sinodais lembraram que Jesus, "ao referir-Se ao desígnio primordial sobre o casal humano, reafirma a união indissolúvel entre o homem e a mulher, mesmo admitindo que, 'por causa da dureza do vosso coração, Moisés permitiu que repudiásseis as vossas mulheres; mas, ao princípio, não foi assim' (Mt 19,8). A indissolubilidade do matrimônio ('o que Deus uniu não o separe o homem': Mt 19,6) não se deve entender primariamente como 'jugo' imposto aos homens, mas como um 'dom' concedido às pessoas unidas em matrimônio. (…) A condescendência divina acompanha sempre o caminho humano, com a sua graça, cura e transforma o coração endurecido, orientando-o para o seu princípio, através do caminho da cruz. Nos Evangelhos, sobressai claramente a postura de Jesus, que (…) anunciou a mensagem relativa ao significado do matrimônio como plenitude da revelação que recupera o projeto originário de Deus (cf. Mt 19,3)".[55]

---
[55] Ibidem, n. 14.

63. "Jesus, que reconciliou em Si todas as coisas, voltou a levar o matrimônio e a família à sua forma original (cf. Mc 10,1-12). A família e o matrimônio foram redimidos por Cristo (cf. Ef 5,21-32), restaurados à imagem da Santíssima Trindade, mistério de onde brota todo o amor verdadeiro. A aliança esponsal, inaugurada na criação e revelada na história da salvação, recebe a revelação plena do seu significado em Cristo e na sua Igreja. O matrimônio e a família recebem de Cristo, através da Igreja, a graça necessária para testemunhar o amor de Deus e viver a vida de comunhão. O Evangelho da família atravessa a história do mundo desde a criação do homem à imagem e semelhança de Deus (cf. Gn 1,26-27) até a realização do mistério da Aliança em Cristo no fim dos séculos com as núpcias do Cordeiro (cf. Ap 19,9)".[56]

64. "O exemplo de Jesus é paradigmático para a Igreja (…). Ele inaugurou a sua vida pública com o sinal de Caná, realizado em um banquete de núpcias (cf. Jo 2,1-11). (…) Compartilhou momentos frequentes de amizade com a família de Lázaro e as suas irmãs (cf. Lc 10,38) e com a família de Pedro (cf. Mt 8,14). Ouviu o pranto dos pais pelos seus filhos, restituindo-os à vida (cf. Mc 5,41; Lc 7,14-15) e manifestando deste modo o verdadeiro significado da misericórdia,

---

[56] Ibidem, n. 16.

que implica o restabelecimento da Aliança (cf. DM, n. 4). Isto manifesta-se claramente nos encontros com a mulher samaritana (cf. Jo 4,1-30) e com a adúltera (cf. Jo 8,1-11), nos quais a noção do pecado desperta diante do amor gratuito de Jesus".[57]

65. A Encarnação do Verbo em uma família humana, em Nazaré, comove com a sua novidade a história do mundo. Precisamos mergulhar no mistério do nascimento de Jesus, no "sim" de Maria ao anúncio do anjo, quando foi concebida a Palavra no seu seio; e ainda no "sim" de José, que deu o nome a Jesus e cuidou de Maria; na festa dos pastores no presépio; na adoração dos Magos; na fuga para o Egito, em que Jesus participou no sofrimento do seu povo exilado, perseguido e humilhado; na devota espera de Zacarias e na alegria que acompanhou o nascimento de João Batista; na promessa que Simeão e Ana viram cumprida no templo; na admiração dos doutores da lei ao escutarem a sabedoria de Jesus adolescente. E, em seguida, penetrar nos trinta longos anos em que Jesus ganhava o pão trabalhando com suas mãos, sussurrando a oração e a tradição crente do seu povo e formando-Se na fé dos seus pais, até fazê-la frutificar no mistério do Reino. Este é o mistério do Natal e o segredo de Nazaré, cheio de perfume da família! É o mistério que tanto fascinou

---

[57] *Relatio Finalis* 2015, n. 41.

Francisco de Assis, Teresa do Menino Jesus e Charles de Foucauld, e do qual bebem também as famílias cristãs para renovar a sua esperança e alegria.

66. "A aliança de amor e fidelidade, da qual vive a Sagrada Família de Nazaré, ilumina o princípio que dá forma a cada família, tornando-a capaz de enfrentar melhor as vicissitudes da vida e da história. Sobre este fundamento, cada família, não obstante a sua fragilidade, pode tornar-se uma luz na escuridão do mundo. 'Aqui compreendemos o modo de viver em família. Nazaré nos recorde no que consiste a família, a comunhão de amor, a sua beleza austera e simples, a sua índole sagrada e inviolável; nos faça ver como é doce e insubstituível a educação em família, nos ensine a sua função natural na ordem social' (Paulo VI, *Alocução em Nazaré*, 5 de janeiro de 1964)".[58]

A família nos documentos da Igreja

67. O Concílio Ecumênico Vaticano II ocupou-se, na Constituição pastoral *Gaudium et Spes*, da promoção da dignidade do matrimônio e da família (cf. n. 47-52). "Definiu o matrimônio como comunidade de vida e amor (cf. n. 48), colocando o amor no centro da família (…). O 'verdadeiro amor entre marido e mulher' (n. 49)

---

[58] Ibidem, n. 38.

implica a mútua doação de si mesmo, inclui e integra a dimensão sexual e a afetividade, correspondendo ao desígnio divino (cf. n. 48-49). Além disso, sublinha o enraizamento dos esposos em Cristo: Cristo Senhor 'vem ao encontro dos esposos cristãos com o Sacramento do Matrimônio' (n. 48) e permanece com eles. Na Encarnação, Ele assume o amor humano, purifica-o, leva-o à plenitude e dá aos esposos, com o seu Espírito, a capacidade de o viver, impregnando toda a sua vida com a fé, a esperança e a caridade. Assim, os cônjuges são de certo modo consagrados e, por meio de uma graça própria, edificam o Corpo de Cristo e constituem uma igreja doméstica (cf. LG, n. 11), de tal modo que a Igreja, para compreender plenamente o seu mistério, olha para a família cristã, que o manifesta de forma genuína".[59]

68. Em seguida, "o Beato Paulo VI aprofundou a doutrina sobre o matrimônio e a família no decorrer do Concílio Vaticano II. De modo particular, com a Encíclica *Humanae Vitae*, evidenciou o vínculo intrínseco entre amor conjugal e geração da vida: 'o amor conjugal requer nos esposos uma consciência da sua missão de 'paternidade responsável', sobre a qual hoje tanto se insiste, e justificadamente, e que deve também ela ser compreendida com exatidão. (…) O exercício responsável da paternidade implica, portanto, que os cônjuges

---

[59] *Relatio Synodi* 2014, n. 17.

reconheçam plenamente os próprios deveres para com Deus, para consigo mesmos, para com a família e para com a sociedade, em uma justa hierarquia de valores' (n. 10). Na Exortação apostólica *Evangelii Nuntiandi*, o Beato Paulo VI pôs em evidência a relação entre a família e a Igreja".[60]

69. "São João Paulo II dedicou especial atenção à família, através das suas catequeses sobre o amor humano, a Carta às famílias *Gratissimam Sane* e sobretudo com a Exortação apostólica *Familiaris Consortio*. Nestes documentos, o Pontífice definiu a família 'caminho da Igreja'; ofereceu uma visão de conjunto sobre a vocação ao amor do homem e da mulher; propôs as linhas fundamentais para a pastoral da família e para a presença da família na sociedade. Concretamente, ao tratar da caridade conjugal (cf. FC, n. 13), descreveu o modo como os cônjuges, no seu amor mútuo, recebem o dom do Espírito de Cristo e vivem a sua vocação à santidade".[61]

70. "Bento XVI, na Encíclica *Deus Caritas Est*, retomou o tema da verdade do amor entre o homem e a mulher, que se vê iluminado plenamente apenas à luz do amor de Cristo crucificado (cf. n. 2). Sublinha que 'o matrimônio baseado em um amor exclusivo e

---

[60] *Relatio Finalis* 2015, n. 43.
[61] *Relatio Synodi* 2014, n. 18.

definitivo torna-se o ícone do relacionamento de Deus com o seu povo e, vice-versa, o modo de Deus amar torna-se a medida do amor humano' (n. 11). Além disso, na Encíclica *Caritas in Veritate*, destaca a importância do amor como princípio de vida na sociedade (cf. n. 44), lugar onde se aprende a experiência do bem comum".[62]

O Sacramento do Matrimônio

71. "A Escritura e a Tradição abrem-nos o acesso a um conhecimento da Trindade que se revela com traços familiares. A família é imagem de Deus, que (...) é comunhão de pessoas. No Batismo, a voz do Pai designa Jesus como seu amado Filho, e é neste amor que se nos permite reconhecer o Espírito Santo (cf. Mc 1,10-11). Jesus, que reconciliou tudo em si, redimindo o homem do pecado, não só restituiu o matrimônio e a família à sua forma original, mas também elevou o matrimônio como sinal sacramental do seu amor pela Igreja (cf. Mt 19,1-12; Mc 10,1-12; Ef 5,21-32). Na família humana, reunida em Cristo, é restituída a 'imagem e semelhança' da Santíssima Trindade (cf. Gn 1,26), mistério do qual brota todo o amor verdadeiro. De Cristo, através da Igreja, o matrimônio e a família recebem a graça do Espírito Santo, para testemunhar o Evangelho do amor de Deus".[63]

---

[62] Ibidem, n. 19.
[63] *Relatio Finalis* 2015, n. 38.

72. O Sacramento do Matrimônio não é uma convenção social, um rito vazio ou o mero sinal externo de um compromisso. O sacramento é um dom para a santificação e a salvação dos esposos, porque "a sua pertença recíproca é a representação real, através do sinal sacramental, da mesma relação de Cristo com a Igreja. Os esposos são, portanto, para a Igreja a lembrança permanente daquilo que aconteceu na cruz; são um para o outro, e para os filhos, testemunhas da salvação, da qual o sacramento os faz participar".[64] O matrimônio é uma vocação, sendo uma resposta ao chamado específico para viver o amor conjugal como sinal imperfeito do amor entre Cristo e a Igreja. Por isso, a decisão de casar e formar uma família deve ser fruto de um discernimento vocacional.

73. "O dom recíproco constitutivo do matrimônio sacramental está enraizado na graça do batismo, que estabelece a aliança fundamental de cada pessoa com Cristo na Igreja. Na mútua recepção e com a graça de Cristo, os noivos prometem-se entrega total, fidelidade e abertura à vida, e também reconhecem como elementos constitutivos do matrimônio os dons que Deus lhes oferece, levando a sério o seu mútuo compromisso, em nome de Deus e perante a Igreja. Ora, na fé, é possível assumir os bens do matrimônio como compromissos

---

[64] FC, n. 13.

que se podem cumprir melhor com a ajuda da graça do sacramento. (…) Portanto, o olhar da Igreja volta-se para os esposos como o coração da família inteira, que, por sua vez, levanta o seu olhar para Jesus".[65] O sacramento não é uma "coisa" nem uma "força", mas o próprio Cristo, na realidade, "vem ao encontro dos cônjuges cristãos pelo sacramento do matrimônio. Permanece com eles, concede-lhes a força de segui-lo levando sua cruz e de levantar-se depois da queda, perdoar-se mutuamente, carregar o fardo uns dos outros".[66] O matrimônio cristão é um sinal que não só indica quanto Cristo amou a sua Igreja na Aliança selada na Cruz, mas torna presente esse amor na comunhão dos esposos. Quando se unem em uma só carne, representam o esponsal do Filho de Deus com a natureza humana. Por isso, "nas alegrias de seu amor e de sua vida familiar, ele dá-lhes, aqui na terra, um antegozo do banquete das núpcias do Cordeiro".[67] Embora "a analogia entre o casal marido-esposa e Cristo-Igreja" seja uma "analogia imperfeita",[68] convida a invocar o Senhor para que derrame o seu amor nas limitações das relações conjugais.

---

[65] *Relatio Synodi* 2014, n. 21.
[66] CIgC, n. 1642.
[67] Idem.
[68] FRANCISCO, *Catequese* (6 de maio de 2015): *L'Osservatore Romano* (ed. semanal portuguesa de 07/05/2015), 20.

74. Vivida de modo humano e santificada pelo sacramento, a união sexual é, por sua vez, caminho de crescimento na vida da graça para os esposos. É o "mistério nupcial".[69] O valor da união dos corpos está expresso nas palavras do consentimento, pelas quais se acolheram e doaram reciprocamente para partilhar a vida toda. Estas palavras conferem um significado à sexualidade, libertando-a de qualquer ambiguidade. Mas, na realidade, toda a vida em comum dos esposos, toda a rede de relações que hão de tecer entre si, com os seus filhos e com o mundo, estará impregnada e robustecida pela graça do sacramento que brota do mistério da Encarnação e da Páscoa, onde Deus exprimiu todo o seu amor pela humanidade e Se uniu intimamente com ela. Os esposos nunca estarão sós, com as suas próprias forças, enfrentando os desafios que surgem. São chamados a responder ao dom de Deus com o seu esforço, a sua criatividade, a sua perseverança e a sua luta diária, mas sempre poderão invocar o Espírito Santo que consagrou a sua união, para que a graça recebida se manifeste sem cessar em cada nova situação.

75. No Sacramento do Matrimônio, segundo a tradição latina da Igreja, os ministros são o homem e a mulher que se casam,[70] os quais, ao manifestar o seu

---

[69] LEÃO MAGNO, *Epistula Rustico narbonensi episcopo*, inquis. IV: *PL* 54, 1205A; cf. Hincmaro de Reims, *Epist*. 22: *PL* 126, 142.

[70] Cf. MCo, n. 202: "*Matrimonio enim quo coniuges sibi invicem sunt ministri gratiae…*".

consentimento e expressá-lo na sua entrega corpórea, recebem um grande dom. O seu consentimento e a união dos seus corpos são os instrumentos da ação divina que os torna uma só carne. No batismo, ficou consagrada a sua capacidade de se unir em matrimônio como ministros do Senhor, para responder à vocação de Deus. Por isso, quando dois cônjuges não cristãos recebem o batismo, não é necessário renovar a promessa nupcial sendo suficiente que não a rejeitem, pois, pelo batismo que recebem, essa união torna-se automaticamente sacramental. O próprio direito canônico reconhece a validade de alguns matrimônios que se celebram sem um ministro ordenado.[71] É que a ordem natural foi assumida pela redenção de Jesus Cristo, pelo que, "entre batizados, não pode haver contrato matrimonial válido que não seja, pelo mesmo fato, sacramento".[72] A Igreja pode exigir que o ato seja público, a presença de testemunhas e outras condições que foram variando ao longo da história, mas isto não tira, aos dois esposos, o seu caráter de ministros do sacramento, nem diminui a centralidade do consentimento do homem e da mulher, que é o que, por si, estabelece o vínculo sacramental. Em todo o caso, precisamos refletir mais sobre a ação divina no rito nupcial, que aparece muito evidenciada

---

[71] Cf. CIC, cân. 1116; 1161-1165; CCEO, 832; 848-852.
[72] CIC, cân. 1055 § 2.

nas Igrejas Orientais ao ressaltarem a importância da bênção sobre os contraentes como sinal do dom do Espírito.

Sementes do Verbo e situações imperfeitas

76. "O Evangelho da família nutre também as sementes ainda à espera de desenvolver-se e deve cuidar das árvores que perderam vitalidade e necessitam que não as transcurem",[73] de modo que, partindo do dom de Cristo no sacramento, "sejam conduzidas pacientemente mais além, chegando a um conhecimento mais rico e uma integração mais plena deste mistério na sua vida".[74]

77. Assumindo o ensinamento bíblico de que tudo foi criado por Cristo e para Cristo (cf. Cl 1,16), os Padres sinodais lembraram que "a ordem da redenção ilumina e completa a ordem da criação. Assim, o matrimônio natural só se compreende à luz do seu cumprimento sacramental: somente fixando o olhar em Cristo conhecemos profundamente a verdade sobre os relacionamentos humanos. 'Na realidade, o mistério do homem só se esclarece verdadeiramente no mistério do Verbo Encarnado. (…) Cristo, novo Adão, na própria revelação do mistério do Pai e do seu amor,

---

[73] *Relatio Synodi* 2014, n. 23.
[74] FC, n. 9.

revela plenamente o homem a si mesmo e descobre-lhe a sua vocação sublime' (GS, n. 22). É particularmente oportuno compreender em chave cristocêntrica (…) o bem dos cônjuges (*bonum coniugum*)",[75] que inclui a unidade, a abertura à vida, a fidelidade, a indissolubilidade e, no matrimônio cristão, também a ajuda mútua no caminho que leva a uma amizade mais plena com o Senhor. "O discernimento da presença das *semina Verbi* nas outras culturas (cf. AG, n. 11) pode ser aplicado inclusive à realidade matrimonial e familiar. Além do verdadeiro matrimônio natural, existem elementos positivos presentes nas formas matrimoniais de outras tradições religiosas",[76] embora não faltem também as sombras. Podemos dizer que "toda a pessoa que deseja formar, neste mundo, uma família que ensine os filhos a alegrar-se por cada ação que se proponha vencer o mal – uma família que mostre que o Espírito está vivo e operante – encontrará gratidão e estima, independentemente do povo, região ou religião a que pertença".[77]

78. "O olhar de Cristo, cuja luz ilumina cada homem (cf. Jo 1,9; GS, n. 22), inspira o cuidado pastoral da Igreja pelos fiéis que simplesmente convivem,

---

[75] *Relatio Finalis* 2015, n. 47.

[76] Idem.

[77] FRANCISCO, *Homilia na Santa Missa de encerramento do VIII Encontro Mundial das Famílias* em Filadélfia (27 de setembro de 2015): *L'Osservatore Romano* (ed. semanal portuguesa de 08/10/2015), 4.

ou que só contraíram o casamento civil, ou então que divorciados recasados. Na perspectiva da pedagogia divina, a Igreja dirige-se com amor a quantos participam na vida dela de modo imperfeito: invoca com eles a graça da conversão, encoraja-os a realizar o bem, a cuidar com amor um do outro e pôr-se a serviço da comunidade na qual vivem e trabalham. (…) Quando a união alcança uma estabilidade notável através de um vínculo público – e é marcada por profundo afeto, por responsabilidade em relação à prole e por capacidade de superar as provações –, pode ser vista como uma ocasião para ser acompanhada rumo ao sacramento do matrimônio, quando isto for possível".[78]

79. "Diante de situações difíceis e de famílias feridas, é necessário recordar sempre um princípio geral: 'Saibam os pastores que, por amor à verdade, estão obrigados a discernir bem as situações' (FC, n. 84). O grau de responsabilidade não é igual em todos os casos, e podem existir fatores que limitam a capacidade de decisão. Por isso, enquanto se deve expressar claramente a doutrina, é preciso evitar juízos que não levam em consideração a complexidade das diversas situações e é necessário prestar atenção ao modo como as pessoas vivem e sofrem por causa da sua condição".[79]

---

[78] *Relatio Finalis* 2015, n. 53-54.
[79] Ibidem, n. 51.

A transmissão da vida e a educação dos filhos

80. O matrimônio é, em primeiro lugar, uma "íntima comunidade de vida e do amor conjugal",[80] que constitui um bem para os próprios esposos;[81] e a sexualidade "está ordenada para o amor conjugal entre o homem e a mulher".[82] Por isso, também "os esposos a quem Deus não concedeu ter filhos podem, no entanto, ter uma vida conjugal cheia de sentido, humana e cristãmente".[83] Contudo, esta união está ordenada para a geração "por sua própria natureza".[84] O bebê que chega "não vem de fora acrescentar-se ao amor mútuo dos esposos; surge no próprio âmago dessa doação mútua, da qual é fruto e realização".[85] Não aparece como o final de um processo, mas está presente desde o início do amor como uma característica essencial que não pode ser negada sem mutilar o próprio amor. Desde o início, o amor rejeita qualquer impulso para se fechar em si mesmo, e abre-se a uma fecundidade que o prolonga para além da sua própria existência. Assim nenhum ato sexual dos esposos pode negar este

---

[80] GS, n. 48.

[81] Cf. CIC, cân. 1055-§ 1: "*ad bonum coniugum atque ad prolis generationem et educationem ordinatum*".

[82] CIgC, n. 2360.

[83] Ibidem, n. 1654.

[84] GS, n. 48.

[85] CIgC, n. 2366.

significado,[86] embora, por várias razões, nem sempre possa efetivamente gerar uma nova vida.

81. O filho pede para nascer, não de qualquer maneira, mas deste amor, porque ele "não é uma dívida, mas uma dádiva",[87] que é "o fruto do ato específico do amor conjugal de seus pais".[88] Com efeito, "segundo a ordem da criação, o amor conjugal entre um homem e uma mulher e a transmissão da vida estão ordenados um para o outro (cf. Gn 1,27-28). Deste modo, o Criador tornou o homem e a mulher partícipes da obra da sua criação e transformou-os ao mesmo tempo em instrumentos do seu amor, confiando à sua responsabilidade o futuro da humanidade através da transmissão da vida humana".[89]

82. Os Padres sinodais referiram que "não é difícil constatar como se está espalhando uma mentalidade que reduz a geração da vida a uma variável dos projetos individuais ou dos cônjuges".[90] A doutrina da Igreja "ajuda a viver de maneira harmoniosa e consciente a comunhão entre os cônjuges, em todas as suas dimensões, juntamente com a responsabilidade geradora. É

---

[86] Cf. HV, n. 11-12.
[87] CIgC, n. 2378.
[88] DVit, II, 8.
[89] *Relatio Finalis* 2015, n. 63.
[90] *Relatio Synodi* 2014, n. 57.

preciso redescobrir a mensagem da Encíclica *Humanae Vitae* do Beato Paulo VI, que sublinha a necessidade de respeitar a dignidade da pessoa na avaliação moral dos métodos de regulação da natalidade. (…) A escolha da adoção e do acolhimento exprime uma fecundidade particular da experiência conjugal".[91] Com particular gratidão, a Igreja "apoia as famílias que acolhem, educam e rodeiam de carinho os filhos portadores de de necessidades especiais".[92]

83. Neste contexto, não posso deixar de afirmar que, se a família é o santuário da vida, o lugar onde a vida é gerada e cuidada, constitui uma contradição pungente fazer dela o lugar onde a vida é negada e destruída. É tão grande o valor de uma vida humana e inalienável o direito à vida do bebê inocente que cresce no ventre de sua mãe, que de modo nenhum se pode afirmar como um direito sobre o próprio corpo a possibilidade de tomar decisões sobre esta vida que é o fim em si mesma e nunca poderá ser objeto de domínio de outro ser humano. A família protege a vida em todas as suas fases, incluindo o seu fim. Por isso, "a quantos trabalham nas estruturas de assistência à saúde, recorda-se a obrigação moral da objeção de consciência. Do mesmo modo, a Igreja não somente sente a urgência de

---

[91] Ibidem, n. 58.
[92] Ibidem, n. 57.

afirmar o direito à morte natural, evitando o excesso terapêutico e a eutanásia", mas também "rejeita com firmeza a pena de morte".[93]

84. Os Padres quiseram sublinhar também que "um dos desafios fundamentais que as famílias enfrentam hoje é seguramente o desafio educativo, que se tornou ainda mais difícil e complexo por causa da realidade cultural atual e da grande influência dos meios de comunicação".[94] "A Igreja desempenha um papel precioso de apoio às famílias, a começar pela iniciação cristã, através de comunidades acolhedoras".[95] Mas parece-me muito importante lembrar que a educação integral dos filhos é, simultaneamente, "dever gravíssimo" e "direito primário" dos pais.[96] Não é apenas um encargo ou um peso, mas também um direito essencial e insubstituível que estão chamados a defender e que ninguém deveria pretender tirar-lhes. O Estado oferece um serviço educativo de maneira subsidiária, acompanhando a função não delegável dos pais, que têm direito de poder escolher livremente o tipo de educação – acessível e de qualidade – que querem dar aos seus filhos, de acordo com as suas convicções. A escola não substitui os pais; serve-lhes de complemento.

---

[93] *Relatio Finalis* 2015, n. 64.
[94] *Relatio Synodi* 2014, n. 60.
[95] Ibidem, n. 61.
[96] CIC, c. 1136; cf. CCEO, 627.

Este é um princípio básico: "qualquer outro participante no processo educativo não pode operar senão em nome dos pais, com o seu consenso e, em certa medida, até mesmo por seu encargo".[97] Infelizmente, "abriu-se uma fenda entre família e sociedade, entre família e escola; hoje, o pacto educativo quebrou-se; e, assim, a aliança educativa da sociedade com a família entrou em crise".[98]

85. A Igreja é chamada a colaborar, com uma ação pastoral adequada, para que os próprios pais possam cumprir a sua missão educativa; e sempre o deve fazer, ajudando-os a valorizar a sua função específica e a reconhecer que os que recebem o sacramento do matrimônio são transformados em verdadeiros ministros educativos, pois, quando formam os seus filhos, edificam a Igreja[99] e, fazendo-o, aceitam uma vocação que Deus lhes propõe.[100]

---

[97] Pont. Conselho para a Família, *Sexualidade humana: verdade e significado* (8 de dezembro de 1995), 23.

[98] FRANCISCO, *Catequese* (20 de maio de 2015): *L'Osservatore Romano* (ed. semanal portuguesa de 21/05/2015), 20.

[99] Cf. FC, n. 38.

[100] Cf. FRANCISCO, *Discurso à Assembleia diocesana de Roma* (14 de junho de 2015): *L'Osservatore Romano* (ed. semanal portuguesa de 18/06/2015), 6.

A família e a Igreja

86. "Com íntima alegria e profunda consolação, a Igreja olha para as famílias que permanecem fiéis aos ensinamentos do Evangelho, agradecendo-lhes pelo testemunho que dão e encorajando-as. Com efeito, graças a elas, torna-se credível a beleza do matrimônio indissolúvel e fiel para sempre. Na família, 'como em uma igreja doméstica' (LG, n. 11), amadurece a primeira experiência eclesial da comunhão entre as pessoas, na qual, por graça, se reflete o mistério da Santíssima Trindade. 'É aqui que se aprende a tenacidade e a alegria no trabalho, o amor fraterno, o perdão generoso e sempre renovado, e sobretudo o culto divino, pela oração e pelo oferecimento da própria vida' (CIgC, n. 1657)".[101]

87. A Igreja é família de famílias, constantemente enriquecida pela vida de todas as igrejas domésticas. Assim, "em virtude do sacramento do matrimônio, cada família torna-se para todos os efeitos um bem para a Igreja. Nesta perspectiva, para o hoje da Igreja, será certamente um dom precioso ter em consideração também a reciprocidade entre família e Igreja: a Igreja é um bem para a família, a família é um bem para a Igreja. A preservação do dom sacramental do Senhor

---

[101] *Relatio Synodi* 2014, n. 23.

compete não apenas à família individual, mas à própria comunidade cristã".[102]

88. O amor vivido nas famílias é uma força permanente para a vida da Igreja. "A finalidade unitiva do matrimônio é uma exortação constante ao crescimento e ao aprofundamento deste amor. Na sua união de amor, os esposos experimentam a beleza da paternidade e da maternidade; compartilham os projetos e as dificuldades, os desejos e as preocupações; aprendem o cuidado recíproco e o perdão mútuo. Neste amor, eles celebram os seus momentos felizes e ajudam-se nas passagens difíceis da sua história de vida. (…) A beleza do dom recíproco e gratuito, a alegria pela vida que nasce e pelo cuidado amoroso da parte de todos os membros, desde os pequeninos até os idosos, são alguns dos frutos que tornam única e insubstituível a resposta à vocação da família",[103] tanto para a Igreja como para a sociedade inteira.

---

[102] *Relatio Finalis* 2015, n. 52.
[103] Ibidem, n. 49-50.

Capítulo IV
O AMOR NO MATRIMÔNIO

89. Tudo o que foi dito não é suficiente para exprimir o Evangelho do matrimônio e da família, se não nos detivermos particularmente a falar do amor. Com efeito, não poderemos encorajar um caminho de fidelidade e doação recíproca, se não estimularmos o crescimento, a consolidação e o aprofundamento do amor conjugal e familiar. De fato, a graça do Sacramento do Matrimônio destina-se, antes de tudo, "a aperfeiçoar o amor dos cônjuges".[104] Também aqui é verdade que, "se tivesse toda fé, a ponto de remover montanhas, mas não tivesse amor, eu nada seria. Se eu gastasse todos os meus bens no sustento dos pobres e até me entregasse como escravo, para me gloriar, mas não tivesse amor, de nada me aproveitaria" (1Cor 13,2-3). Mas a palavra "amor", uma das mais usadas, muitas vezes aparece desfigurada.[105]

---

[104] CIgC, n. 1641.
[105] Cf. DCE, n. 2.

O nosso amor cotidiano

90. No chamado hino à caridade escrito por São Paulo, vemos algumas características do amor verdadeiro:

> "O amor é paciente,
> é benfazejo;
> não é invejoso,
> não é presunçoso nem se incha de orgulho,
> nada faz nada de vergonhoso,
> não é interesseiro,
> não se encoleriza,
> nem leva em conta o mal sofrido;
> não se alegra com a injustiça,
> mas fica alegre com a verdade.
> Ele desculpa tudo,
> crê tudo,
> espera tudo,
> suporta tudo" (1Cor 13,4-7).

Isto pratica-se e cultiva-se na vida que os esposos partilham dia a dia entre si e com os seus filhos. Por isso, vale a pena deter-se a esclarecer o significado das expressões deste texto, tendo em vista uma aplicação à existência concreta de cada família.

Paciência

91. A primeira palavra usada é "*macrothymei*". A sua tradução não é simplesmente "suporta tudo",

porque esta ideia é expressa no final do versículo 7. O sentido encontra-se na tradução grega do texto do Antigo Testamento onde se diz que Deus é "lento para a ira" (cf. Nm 14,18; cf. Ex 34,6). Uma pessoa mostra-se paciente, quando não se deixa levar pelos impulsos interiores e evita agredir. A paciência é uma qualidade do Deus da Aliança, que convida a imitá-Lo também na vida familiar. Os textos nos quais Paulo usa este termo devem ser lidos à luz do livro da Sabedoria (cf. 11,23; 12,2.15-18): ao mesmo tempo que se louva a moderação de Deus para dar tempo ao arrependimento, insiste-se no seu poder que se manifesta quando atua com misericórdia. A paciência de Deus é exercício da misericórdia de Deus para com o pecador e manifesta o verdadeiro poder.

92. Ter paciência não é deixar que nos maltratem permanentemente, nem tolerar agressões físicas, ou permitir que nos tratem como objetos. O problema surge quando exigimos que as relações sejam idílicas, ou que as pessoas sejam perfeitas, ou quando nos colocamos no centro esperando que se cumpra unicamente a nossa vontade. Então tudo nos impacienta, tudo nos leva a reagir com agressividade. Se não cultivarmos a paciência, sempre acharemos desculpas para responder com ira, acabando por nos tornarmos pessoas que não sabem conviver, antissociais incapazes de dominar os impulsos, e a família tornar-se-á um campo de batalha.

Por isso, a Palavra de Deus exorta-nos: "Desapareça do meio de vós todo amargor e exaltação, toda ira e gritaria, ultrajes e toda espécie de maldade" (Ef 4,31). Esta paciência reforça-se quando reconheço que o outro, assim como é, também tem direito a viver comigo nesta terra. Não importa se é um estorvo para mim, se altera os meus planos, se me incomoda com o seu modo de ser ou com as suas ideias, se não é em tudo como eu esperava. O amor possui sempre um sentido de profunda compaixão, que leva a aceitar o outro como parte deste mundo, mesmo quando age de modo diferente do que eu desejaria.

Atitude de serviço

93. Vem depois a palavra *chrestéuetai* – a única vez que aparece em toda a Bíblia –, que deriva de *chrestós* (pessoa boa, que mostra a sua bondade nas ações). Mas pelo lugar onde está, ou seja, em estrito paralelismo com o verbo anterior, é seu complemento. Deste modo Paulo pretende esclarecer que a "paciência", nomeada em primeiro lugar, não é uma postura totalmente passiva, mas há de ser acompanhada por uma atividade, uma reação dinâmica e criativa perante os outros. Indica que o amor beneficia e promove os outros. Por isso, traduz-se como "benfazejo".

94. No conjunto do texto, vê-se que Paulo quer insistir que o amor não é apenas um sentimento, mas

deve ser entendido no sentido que o verbo "amar" tem em hebraico: "fazer o bem". Como dizia Santo Inácio de Loyola, "o amor deve ser colocado mais nas obras do que nas palavras".[106] Assim poderá mostrar toda a sua fecundidade, permitindo-nos experimentar a felicidade de dar, a nobreza e grandeza de doar-se superabundantemente, sem calcular nem reclamar pagamento, mas apenas pelo prazer de dar e servir.

Curando a inveja

95. Em seguida rejeita-se, como contrária ao amor, uma atitude expressa como *zelôi* (ciúme ou inveja). Significa que, no amor, não há lugar para sentir desgosto pelo bem do outro (cf. At 7,9; 17,5). A inveja é uma tristeza pelo bem alheio, demonstrando que não nos interessa a felicidade dos outros, porque estamos concentrados exclusivamente no nosso bem-estar. Enquanto o amor nos faz sair de nós mesmos, a inveja leva a centrar-nos em nós próprios. O verdadeiro amor aprecia os sucessos alheios, não os sente como uma ameaça, libertando-se do sabor amargo da inveja. Aceita que cada um tenha dons distintos e caminhos diferentes na vida; e, consequentemente, procura descobrir o seu próprio caminho para ser feliz, deixando que os outros encontrem o deles.

---

[106] *Exercícios espirituais*, Contemplação para alcançar o amor (230).

96. Em última análise, trata-se de cumprir o que pedem os dois últimos mandamentos da Lei de Deus: "Não cobiçarás a casa do teu próximo. Não cobiçarás a mulher do teu próximo, nem seu escravo, nem sua escrava, nem seu boi, nem seu jumento, nem coisa alguma do que lhe pertença" (Ex 20,17). O amor leva-nos a uma apreciação sincera de cada ser humano, reconhecendo o seu direito à felicidade. Amo aquela pessoa, vejo-a com o olhar de Deus Pai, que nos dá tudo "para nosso bom uso" (1Tm 6,17), e consequentemente aceito, no meu íntimo, que ela possa usufruir de um momento bom. Entretanto, esta mesma raiz do amor leva-me a rejeitar a injustiça de alguns terem muito e outros não terem nada, ou induz-me a procurar que os próprios descartáveis da sociedade possam viver um pouco de alegria. Mas isto não é inveja; são anseios de equidade.

Sem ser arrogante nem se orgulhar

97. Segue-se o termo *perperéuetai*, que indica vanglória, desejo de se mostrar superior para impressionar os outros com atitude pedante e um pouco agressiva. Quem ama não só evita falar muito de si mesmo, mas, porque está centrado nos outros, sabe manter-se no seu lugar sem pretender estar no centro. A palavra seguinte – *physiôutai* – é muito semelhante, indicando que o amor não é arrogante. Literalmente afirma que não se "engrandece" diante dos outros; mas indica algo de mais sutil. Não se trata apenas de uma obsessão

por mostrar as próprias qualidades; é pior: perde-se o sentido da realidade, a pessoa considera-se maior do que é, porque se crê mais "espiritual" ou "sábia". Paulo usa este verbo em outras ocasiões, para dizer, por exemplo, que "a ciência incha", ao passo que "o amor é que constrói" (1Cor 8,1). Por outras palavras, alguns julgam-se grandes, porque sabem mais do que os outros, dedicando-se a impor-lhes exigências e a controlá-los; quando, na realidade, o que nos faz grandes é o amor que compreende, cuida, integra, está atento aos fracos. Em outro versículo, usa-o para criticar aqueles que "se encheram de presunção" (1Cor 4,18), mas, na realidade, têm mais palavreado do que verdadeiro "poder" do Espírito (cf. 1Cor 4,19).

98. É importante que os cristãos vivam isto no seu modo de tratar os familiares pouco formados na fé, frágeis ou menos firmes nas suas convicções. Às vezes, dá-se o contrário: as pessoas que, no seio da família, se consideram mais desenvolvidas, tornam-se arrogantes insuportáveis. A atitude de humildade aparece aqui como algo que faz parte do amor, porque, para poder compreender, desculpar ou servir os outros de coração, é indispensável curar o orgulho e cultivar a humildade. Jesus lembrava aos seus discípulos que, no mundo do poder, cada um procura dominar o outro, e acrescentava: "Entre vós não deverá ser assim" (Mt 20,26). A lógica do amor cristão não é a de quem se considera

superior aos outros e precisa fazer-lhes sentir o seu poder, mas a de "quem quiser ser o primeiro entre vós, seja vosso escravo" (Mt 20,27). Na vida familiar, não pode reinar a lógica do domínio de uns sobre os outros, nem a competição para ver quem é mais inteligente ou poderoso, porque esta lógica acaba com o amor. Vale também para a família o seguinte conselho: "Revesti--vos todos de humildade no relacionamento mútuo, porque Deus resiste aos soberbos, mas dá a sua graça aos humildes" (1Pd 5,5).

Amabilidade

99. Amar é também tornar-se amável, e nisto está o sentido do termo *aschemonêi*. Significa que o amor não age rudemente, não atua de forma inconveniente, não se mostra duro no trato. Os seus modos, as suas palavras, os seus gestos são agradáveis; não são ásperos, nem rígidos. Detesta fazer os outros sofrerem. A cortesia "é uma escola de sensibilidade e altruísmo", que exige que a pessoa "cultive a sua mente e os seus sentidos, aprenda a ouvir, a falar e, em certos momentos, a calar".[107] Ser amável não é um estilo que o cristão possa escolher ou rejeitar: faz parte das exigências irrenunciáveis do amor, por isso "todo o ser humano está obrigado a ser afável com aqueles que o rodeiam".[108]

---

[107] OCTAVIO PAZ, *La llama doble* (Barcelona 1993), 35.

[108] TOMÁS DE AQUINO, *Summa theologiae*, II-II, q. 114, art. 2, ad 1.

Diariamente "entrar na vida do outro, mesmo quando faz parte da nossa existência, exige a delicadeza de uma atitude não invasiva, que renova a confiança e o respeito. (…) E quanto mais íntimo e profundo for o amor, tanto mais exigirá o respeito pela liberdade e a capacidade de esperar que o outro abra a porta do seu coração".[109]

100. A fim de se predispor para um verdadeiro encontro com o outro, requer-se um olhar amável pousado nele. Isto não é possível quando reina um pessimismo que põe em evidência os defeitos e erros alheios, talvez para compensar os próprios complexos. Um olhar amável faz com que nos detenhamos menos nos limites do outro, podendo assim tolerá-lo e unirmo-nos em um projeto comum, apesar de sermos diferentes. O amor amável gera vínculos, cultiva laços, cria novas redes de integração, constrói um tecido social firme. Deste modo, uma pessoa protege-se a si mesma, pois, sem sentido de pertença, não se pode sustentar uma entrega aos outros, acabando cada um por buscar apenas as próprias conveniências, e a convivência torna-se impossível. Uma pessoa antissocial julga que os outros existem para satisfazer as suas necessidades e, quando o fazem, cumprem apenas o seu dever. Neste caso, não haveria espaço para a amabilidade do amor e a sua linguagem. A pessoa que ama é capaz de dizer palavras de incentivo, que reconfortam, fortalecem,

---

[109] FRANCISCO, *Catequese* (13 de maio de 2015): *L'Osservatore Romano* (ed. semanal portuguesa de 14/05/2015), 16.

consolam, estimulam. Vejamos, por exemplo, algumas palavras que Jesus dizia às pessoas: "Coragem, filho, teus pecados estão perdoados!" (Mt 9,2). "Grande é tua fé!" (Mt 15,28). "Levanta-te!" (Mc 5,41). "Vai em paz" (Lc 7,50). "Não tenhais medo!" (Mt 14,27). Não são palavras que humilham, angustiam, irritam, desprezam. Na família, é preciso aprender esta linguagem amável de Jesus.

Desprendimento

101. Como se diz muitas vezes, para amar os outros, é preciso primeiro amar a si mesmo. Todavia este hino à caridade afirma que o amor "não procura o seu próprio interesse", ou "não procura o que é seu". Esta expressão aparece ainda em outro texto: "Não cuide somente do que é seu, mas também do que é dos outros" (Fl 2,4). Perante uma afirmação assim clara da Sagrada Escritura, deve-se evitar dar prioridade ao amor a si mesmo, como se fosse mais nobre do que o dom de si aos outros. Certa prioridade do amor a si mesmo só se pode entender como condição psicológica, pois uma pessoa que seja incapaz de amar a si mesma sente dificuldade em amar os outros: "Quem é mau para si, para quem será bom? (...) Quem tem inveja de si mesmo, ninguém é pior do que ele" (Eclo 14,5-6).

102. Mas o próprio Tomás de Aquino explicou "ser mais próprio da caridade querer amar do que querer

ser amado",[110] e que de fato "as mães, que são as que mais amam, procuram mais amar do que ser amadas".[111] Por isso, o amor pode superar a justiça e transbordar gratuitamente "sem esperar coisa alguma em troca" (Lc 6,35), até chegar ao amor maior que é "dar a vida" pelos outros (cf. Jo 15,13). Mas será possível um desprendimento assim, que permite dar gratuitamente e dar até o fim? Sem dúvida, porque é o que pede o Evangelho: "De graça recebestes, de graça deveis dar!" (Mt 10,8).

Sem violência interior

103. Se a primeira expressão do hino nos convidava à paciência, que evita reagir bruscamente perante as fraquezas ou erros dos outros, agora aparece outra palavra – *paroxýnetai* – que diz respeito a uma reação interior de indignação provocada por algo exterior. Trata-se de uma violência interna, uma irritação recôndita que nos põe à defesa perante os outros, como se fossem inimigos nocivos a evitar. Alimentar esta agressividade íntima nada traz de proveitoso. Serve apenas para nos adoentar, acabando por nos isolar. A indignação é saudável, quando nos leva a reagir perante uma grave injustiça; mas é prejudicial, quando tende a impregnar todas as nossas atitudes para com os outros.

---

[110] *Summa theologiae*, II-II, q. 27, art. 1, ad. 2.

[111] Ibidem, II-II, q. 27, art. 1.

104. O Evangelho convida a olhar primeiro a trave na própria vista (cf. Mt 7,5), e nós, cristãos, não podemos ignorar o convite constante da Palavra de Deus para não se alimentar a ira: "Não te deixes vencer pelo mal" (Rm 12,21); "não esmoreçamos na prática do bem" (Gl 6,9). Uma coisa é sentir a força da agressividade que irrompe, e outra é consentir nela, deixar que se torne uma atitude permanente: "Podeis irar-vos, contanto que não pequeis. Não se ponha o sol sobre vossa ira" (Ef 4,26). Por isso, nunca se deve terminar o dia sem fazer as pazes na família. "E como devo fazer as pazes? Ajoelhar-me? Não! Para restabelecer a harmonia familiar basta um pequeno gesto, uma coisa de nada. É suficiente uma carícia, sem palavras. Mas nunca permitais que o dia em família termine sem fazer as pazes".[112] A reação interior perante um mal que nos causam os outros, deveria ser, antes tudo, abençoar no coração, desejar o bem do outro, pedir a Deus que o liberte e cure. "Abençoai, porque para isto fostes chamados: para serdes herdeiros da bênção" (1Pd 3,9). Se tivermos de lutar contra um mal, façamo-lo; mas sempre digamos "não" à violência interior.

---

[112] FRANCISCO, *Catequese* (13 de maio de 2015): *L'Osservatore Romano* (ed. semanal portuguesa de 14/05/2015), 16.

Perdão

105. Se permitirmos a entrada de um mau sentimento no nosso íntimo, damos lugar ao ressentimento que se aninha no coração. A frase *logízetai to kakón* significa que se "leva em conta o mal", "trá-lo gravado", ou seja, está ressentido. O contrário disto é o perdão; perdão fundado em uma atitude positiva que procura compreender a fraqueza alheia e encontrar desculpas para a outra pessoa, como Jesus que diz: "Pai, perdoa-lhes! Eles não sabem o que fazem" (Lc 23,34). Entretanto, a tendência costuma ser a de buscar cada vez mais culpas, imaginar cada vez mais maldades, supor todo o tipo de más intenções, e assim o ressentimento vai crescendo e cria raízes. Deste modo, qualquer erro ou queda do cônjuge pode danificar o vínculo de amor e a estabilidade familiar. O problema é que, às vezes, atribui-se a tudo a mesma gravidade, com o risco de tornar-se cruel perante qualquer erro do outro. A justa reivindicação dos próprios direitos torna-se mais uma persistente e constante sede de vingança do que uma sã defesa da própria dignidade.

106. Quando estivermos ofendidos ou desiludidos, é possível e desejável o perdão; mas ninguém diz que é fácil. A verdade é que "a comunhão familiar só pode ser conservada e aperfeiçoada com grande espírito de sacrifício. Exige, de fato, de todos e de cada um, pronta e generosa disponibilidade à compreensão, à

tolerância, ao perdão, à reconciliação. Nenhuma família ignora como o egoísmo, o desacordo, as tensões, os conflitos agridem, de forma violenta e às vezes mortal, a comunhão: daqui as múltiplas e variadas formas de divisão da vida familiar".[113]

107. Hoje sabemos que, para se poder perdoar, precisamos passar pela experiência libertadora de nos compreendermos e perdoarmos a nós mesmos. Quantas vezes os nossos erros ou o olhar crítico das pessoas que amamos nos fizeram perder o amor a nós próprios; isto acaba por nos levar a acautelar-nos dos outros, esquivando-nos do seu afeto, enchendo-nos de suspeitas nas relações interpessoais. Então, poder culpar os outros torna-se um falso alívio. Faz falta rezar com a própria história, aceitar a si mesmo, saber conviver com as próprias limitações e inclusive perdoar-se, para poder ter esta mesma atitude com os outros.

108. Mas isto pressupõe a experiência de ser perdoados por Deus, justificados gratuitamente e não pelos nossos méritos. Fomos envolvidos por um amor prévio a qualquer obra nossa, que sempre dá uma nova oportunidade, promove e incentiva. Se aceitamos que o amor de Deus é incondicional, que o carinho do Pai não se deve comprar nem pagar, então poderemos amar sem limites, perdoar aos outros, ainda que tenham sido

---

[113] FC, n. 21.

injustos para conosco. Caso contrário, a nossa vida em família deixará de ser um lugar de compreensão, companhia e incentivo, e tornar-se-á um espaço de permanente tensão ou de castigo mútuo.

Alegrar-se com os outros

109. A expressão *cháirei epí tê adikía* indica algo de negativo arraigado no segredo do coração da pessoa. É a atitude venenosa de quem, ao ver alguém ser alvo de injustiça, se alegra. A frase é completada pela seguinte, que o diz de forma positiva: *syncháirei tê alethéia* – rejubila com a verdade. Por outras palavras, alegra-se com o bem do outro, quando se reconhece a sua dignidade, quando se apreciam as suas capacidades e as suas boas obras. Isto é impossível para quem sente a necessidade de estar sempre a comparar-se ou a competir, inclusive com o próprio cônjuge, até o ponto de se alegrar secretamente com os seus fracassos.

110. Quando uma pessoa que ama pode fazer algo de bom pelo outro, ou quando vê que a vida do outro está indo bem, vive isso com alegria e, assim, dá glória a Deus, porque "Deus ama quem dá com alegria" (2Cor 9,7), nosso Senhor aprecia de modo especial quem se alegra com a felicidade do outro. Se não alimentamos a nossa capacidade de rejubilar com o bem do outro, concentrando-nos sobretudo nas nossas próprias necessidades, condenamo-nos a viver com pouca alegria,

porque – como disse Jesus – "há mais felicidade em dar do que em receber" (At 20,35). A família deve ser sempre o lugar em que uma pessoa que conquista algo de bom na vida, sabe que vão com ela se alegrar.

Tudo desculpa

111. O elenco é completado com quatro expressões que falam de uma totalidade: "tudo". Tudo desculpa, tudo crê, tudo espera, tudo suporta. Assim, destaca-se vigorosamente o dinamismo contracorrente do amor, capaz de enfrentar qualquer coisa que possa ameaçá-lo.

112. Em primeiro lugar, diz-se que "tudo desculpa – *pánta stégei*". É diferente de "não levar em conta o mal", porque este termo tem a ver com o uso da língua; pode significar "guardar silêncio" a propósito do mal que possa haver em outra pessoa. Implica limitar o juízo, conter a inclinação para se emitir uma condenação dura e implacável: "Não julgueis e não sereis julgados" (Lc 6,37). Embora isto vá contra o uso que habitualmente fazemos da língua, a Palavra de Deus pede-nos: "Não faleis mal dos outros, irmãos" (Tg 4,11). Deter-se a danificar a imagem do outro é uma maneira de reforçar a própria, de descarregar ressentimentos e invejas, sem se importar com o dano causado. Muitas vezes esquece-se que a difamação pode ser um grande pecado, uma grave ofensa a Deus, quando

afeta seriamente a boa fama dos outros, causando-lhes danos muito difíceis de reparar. Por isso, a Palavra de Deus se mostra tão dura com a língua, dizendo que "é o universo da malícia (…) contaminando o corpo todo" (Tg 3,6), "um mal que não desiste e está cheia de veneno mortífero" (Tg 3,8). Se "com ela amaldiçoamos as pessoas, feitas à imagem de Deus" (Tg 3,9), o amor faz o contrário, defendendo a imagem dos outros e com uma delicadeza tal que leva mesmo a preservar a boa fama dos inimigos. Ao defender a lei divina, é preciso nunca esquecer esta exigência do amor.

113. Os esposos, que se amam e se pertencem, falam bem um do outro, procuram mostrar mais o lado bom do cônjuge do que as suas fraquezas e erros. Em todo o caso, guardam silêncio para não danificar a sua imagem. Mas não é apenas um gesto externo, brota de uma atitude interior. Também não é a ingenuidade de quem pretende não ver as dificuldades e os pontos fracos do outro, mas a perspectiva ampla de quem coloca estas fraquezas e erros no seu contexto; lembra-se de que estes defeitos constituem apenas uma parte, não são a totalidade do ser do outro: um fato desagradável no relacionamento não é a totalidade desse relacionamento. Assim é possível aceitar, com simplicidade, que todos temos em nós uma complexa combinação de luzes e sombras. O outro não é apenas o que me incomoda; é muito mais do que isso. E, pela mesma razão, não lhe

exijo que seja perfeito o seu amor para apreciá-lo: ama-me como é e como pode, com os seus limites, mas o fato de seu amor ser imperfeito não significa que seja falso ou que não seja real. É real, mas limitado e terreno. Por isso, se eu lhe exigir demais, de alguma maneira me fará saber, pois não poderá nem aceitará desempenhar o papel de um ser divino nem estar a serviço de todas as minhas necessidades. O amor convive com a imperfeição, desculpa-a e sabe guardar silêncio perante os limites do ser amado.

Confia

114. "*Pánta pistéuei* – tudo crê". Pelo contexto, não se deve entender esta "fé" em sentido teológico, mas no sentido comum de "confiança". Não se trata apenas de não suspeitar que o outro esteja mentindo ou enganando; esta confiança básica reconhece a luz acesa por Deus que se esconde na escuridão, ou a brasa ainda acesa sob as cinzas.

115. É precisamente esta confiança que torna possível uma relação em liberdade. Não é necessário controlar o outro, seguir minuciosamente os seus passos, para evitar que fuja dos meus braços. O amor confia, deixa em liberdade, renuncia a controlar tudo, a possuir, a dominar. Esta liberdade, que possibilita espaços de autonomia, abertura ao mundo e novas experiências, consente que a relação se enriqueça e

não se transforme em uma endogamia sem horizontes. Assim, ao reencontrarem-se, os cônjuges podem viver a alegria de partilhar o que receberam e aprenderam fora do circuito familiar. Ao mesmo tempo torna possível a sinceridade e a transparência, porque uma pessoa, quando sabe que os outros confiam nela e apreciam a bondade basilar do seu ser, mostra-se como é, sem dissimulações. Pelo contrário, quando alguém sabe que sempre suspeitam dele, julgam-no sem compaixão e não o amam incondicionalmente, preferirá guardar os seus segredos, esconder as suas quedas e fraquezas, fingir ser o que não é. Concluindo, uma família, onde reina uma confiança sólida, carinhosa e, aconteça o que acontecer, sempre se volta a confiar, permite o florescimento da verdadeira identidade dos seus membros, fazendo com que se rejeite espontaneamente o engano, a falsidade e a mentira.

Espera

116. *Pánta elpízei*: não desespera do futuro. Ligado à palavra anterior, indica a esperança de quem sabe que o outro pode mudar; sempre espera que seja possível um amadurecimento, um inesperado surto de beleza, que as potencialidades mais recônditas do seu ser germinem algum dia. Não significa que, nesta vida, tudo vai mudar; implica aceitar que nem tudo acontece como se deseja, mas talvez Deus escreva certo por

linhas tortas e saiba tirar algum bem dos males que não se conseguem vencer nesta terra.

117. Aqui aparece a esperança no seu sentido pleno, porque inclui a certeza de uma vida além da morte. A pessoa, com todas as suas fraquezas, é chamada à plenitude do Céu: lá, completamente transformada pela ressurreição de Cristo, não mais existirão as suas fraquezas, trevas e patologias; lá, o verdadeiro ser daquela pessoa resplandecerá com toda a sua potência de bem e beleza. Isto permite-nos, no meio dos males desta terra, contemplar a pessoa com um olhar sobrenatural, à luz da esperança, e aguardar a plenitude que, embora hoje não seja visível, há de receber um dia no Reino celeste.

Tudo suporta

118. *Pánta hypoménei* significa que suporta, com espírito positivo, todas as contrariedades. É manter-se firme no meio de um ambiente hostil. Não consiste apenas em tolerar algumas coisas incômodas, mas é algo de mais amplo: uma resistência dinâmica e constante, capaz de superar qualquer desafio. É amor que apesar de tudo não desiste, mesmo que todo o contexto convide a outra coisa. Manifesta uma dose de heroísmo tenaz, de força contra qualquer corrente negativa, uma opção pelo bem que nada pode derrubar. Isto me faz lembrar de Martin Luther King, quando reafirmava a opção pelo amor fraterno, mesmo no meio das piores perseguições e humilhações: "A pessoa que mais te odeia, tem algo

de bom nela; mesmo a nação que mais odeia, tem algo de bom nela; mesmo a raça que mais odeia, tem algo de bom nela. E, quando chegas ao ponto de fixar o rosto de cada ser humano e, bem no fundo dele, vês o que a religião chama a 'imagem de Deus', começas, não obstante tudo, a amá-lo. Não importa o que faça, lá vês a imagem de Deus. Há um elemento de bondade de que nunca poderás livrar-te. (…) Outra forma de amares o teu inimigo é esta: quando surge a oportunidade de derrotares o teu inimigo, aquele é o momento em que deves decidir não o fazer. (…) Quando te elevas ao nível do amor, da sua grande beleza e poder, a única coisa que procuras derrotar são os sistemas malignos. Às pessoas que caíram na armadilha deste sistema, tu ama-las, mas procuras derrotar o sistema. (…) Ódio por ódio só intensifica a existência do ódio e do mal no universo. Se eu te bato e tu me bates, e eu te devolvo a pancada e tu me devolves a pancada, e assim por diante, obviamente continua-se até o infinito; simplesmente nunca termina. Nalgum ponto, alguém deve ter um pouco de bom senso, e esta é a pessoa forte. A pessoa forte é aquela que pode quebrar a cadeia do ódio, a cadeia do mal. (…) Alguém deve ter bastante fé e moralidade para a quebrar e injetar dentro da própria estrutura do universo o elemento forte e poderoso do amor".[114]

---

[114] *Sermon delivered at Dexter Avenue Baptist Church* (Montgomery-Alabama 17 de novembro de 1957).

119. Na vida familiar, é preciso cultivar esta força do amor, que permite lutar contra o mal que a ameaça. O amor não se deixa dominar pelo ressentimento, o desprezo das pessoas, o desejo de se lamentar ou de se vingar por alguma coisa. O ideal cristão, precisamente na família, é amor que, apesar de tudo, não desiste. Deixa-me maravilhado, por exemplo, a atitude das pessoas que, para se proteger da violência física, tiveram de separar-se do seu cônjuge e, todavia, pela caridade conjugal que sabe ultrapassar os sentimentos, foram capazes de procurar o seu bem, mesmo através de terceiros, em momentos de doença, tribulação ou dificuldade. Isto também é amor que apesar de tudo não desiste.

Crescer na caridade conjugal

120. O cântico de São Paulo, que acabamos de repassar, permite-nos avançar para a caridade conjugal. Esta é o amor que une os esposos,[115] amor santificado, enriquecido e iluminado pela graça do Sacramento do Matrimônio. É uma "união afetiva",[116] espiritual e oblativa, mas que reúne em si a ternura da amizade e a paixão erótica, embora seja capaz de subsistir mesmo

---

[115] São Tomás de Aquino entende o amor como "*vis unitiva*" (*Summa theologiae*, I, q. 20, art. 1, ad 3), retomando uma expressão de Dionísio Pseudo-Areopagita (*De divinis monibus*, IV, 12: *PG* 3, 709).

[116] Ibidem, II-II, q. 27, art. 2.

quando os sentimentos e a paixão enfraquecem. O Papa Pio XI ensinava que este amor permeia todos os deveres da vida conjugal e "detém como que o primado da nobreza".[117] Com efeito, este amor forte, derramado pelo Espírito Santo, é reflexo da aliança indestrutível entre Cristo e a humanidade que culminou na entrega até o fim na cruz. "O Espírito, que o Senhor infunde, dá um coração novo e torna o homem e a mulher capazes de se amarem como Cristo nos amou. O amor conjugal atinge assim aquela plenitude para a qual está interiormente ordenado: a caridade conjugal".[118]

121. O matrimônio é um sinal precioso, porque, "quando um homem e uma mulher celebram o Sacramento do Matrimônio, Deus, por assim dizer, 'espelha-Se' neles, imprime neles as suas características e o caráter indelével do seu amor. O matrimônio é o ícone do amor de Deus por nós. Com efeito, também Deus é comunhão: as três Pessoas – Pai, Filho e Espírito Santo – vivem desde sempre e para sempre em unidade perfeita. É precisamente nisto que consiste o mistério do matrimônio: dos dois esposos, Deus faz uma só existência".[119] Isto tem consequências muito concretas

---

[117] PIO XI, Carta encíclica *Casti connubii* (31 de dezembro 1930): *AAS* 22 (1930), 547-548.

[118] FC, n. 13.

[119] FRANCISCO, *Catequese* (2 de abril de 2014): *L'Osservatore Romano* (ed. semanal portuguesa de 03/04/2014), 12.

na vida do dia a dia, porque, "em virtude do sacramento, os esposos são investidos em uma autêntica missão, para que possam tornar visível, a partir das realidades simples e ordinárias, o amor com que Cristo ama a sua Igreja, continuando a dar a vida por ela".[120]

122. Todavia, convém não confundir planos diferentes: não se deve atirar para cima de duas pessoas limitadas o peso tremendo de ter que reproduzir perfeitamente a união que existe entre Cristo e a sua Igreja, porque o matrimônio como sinal implica "um processo dinâmico, que avança gradualmente com a progressiva integração dos dons de Deus".[121]

A vida toda, tudo em comum

123. Depois do amor que nos une a Deus, o amor conjugal é a "amizade maior".[122] É uma união que tem todas as características de uma boa amizade: busca do bem do outro, reciprocidade, intimidade, ternura, estabilidade e uma semelhança entre os amigos que se vai construindo com a vida partilhada. O matrimônio, porém, acrescenta a tudo isso uma exclusividade indissolúvel, que se expressa no projeto estável de partilhar e construir juntos toda a existência. Sejamos sinceros

---

[120] Idem.
[121] FC, n. 9.
[122] TOMÁS DE AQUINO, *Summa contra gentiles*, III, 123; cf. Aristóteles, *Ética a Nicômaco*, 8, 12 (ed. Bywater, Oxford 1984, 174).

na leitura dos sinais da realidade: quem está enamorado não projeta que essa relação possa ser apenas por certo tempo; quem vive intensamente a alegria de se casar não pensando em algo passageiro; aqueles que acompanham a celebração de uma união cheia de amor, embora frágil, esperam que possa perdurar no tempo; os filhos querem não só que os seus pais se amem, mas também que sejam fiéis e permaneçam sempre juntos. Estes e outros sinais mostram que, na própria natureza do amor conjugal, existe a abertura ao definitivo. A união, que se cristaliza na promessa matrimonial para sempre, é mais do que uma formalidade social ou uma tradição, porque radica-se nas inclinações espontâneas da pessoa humana. E, para os crentes, é uma aliança diante de Deus, que exige fidelidade: "Porque o Senhor é testemunha entre ti e a mulher da tua juventude, a quem traíste. É ela a tua companheira, a esposa com a qual tens compromisso. (…) Vigiais vossos impulsos para não serdes infiéis à esposa da vossa juventude" (Ml 2,14.15-16).

124. Um amor frágil ou enfermiço, incapaz de aceitar o matrimônio como um desafio que exige lutar, renascer, reinventar-se e recomeçar sempre de novo até a morte, não pode sustentar um nível alto de compromisso. Cede à cultura do provisório, que impede um processo constante de crescimento. Mas "prometer um amor que dure para sempre é possível quando se

descobre um desígnio maior que os próprios projetos, que nos sustenta e permite doar o futuro inteiro à pessoa amada".[123] Para que este amor possa passar por todas as provações e manter-se fiel contra tudo, requer-se o dom da graça que o fortalece e eleva. Como dizia São Roberto Belarmino, "o fato de um só se unir com uma só em um vínculo indissolúvel, de modo que não possam separar-se, sejam quais forem as dificuldades, e mesmo quando se perdeu a esperança da prole, isto não pode acontecer sem um grande mistério".[124]

125. Além disso, o matrimônio é uma amizade que inclui as características próprias da paixão, mas sempre orientada para uma união cada vez mais firme e intensa. Com efeito, "não foi instituído só em ordem à procriação", mas para que o amor mútuo "se exprima convenientemente, aumente e chegue à maturidade".[125] Esta amizade peculiar entre um homem e uma mulher adquire um caráter totalizante, que só se verifica na união conjugal. E precisamente por ser totalizante, esta união também é exclusiva, fiel e aberta à geração. Partilha-se tudo, incluindo a sexualidade, sempre no mútuo respeito. O Concílio Vaticano II expressou isso ao dizer que, "unindo o humano e o divino, esse amor

---

[123] LF, n. 52.

[124] "*De sacramento matrimonii*", I, 2 in: Idem, *Disputationes de controversiis christianae fidei*, III, 5, 3 (ed. Giuliano, Nápoles 1858, 778).

[125] GS, n. 50.

leva os esposos ao livre e recíproco dom de si mesmos, que se manifesta com a ternura do afeto e com as obras, e penetra toda a sua vida".[126]

Alegria e beleza

126. No matrimônio, convém cuidar da alegria do amor. Quando a busca do prazer é obsessiva, encerra-nos em uma coisa só e não permite encontrar outros tipos de satisfações. Pelo contrário, a alegria expande a capacidade de desfrutar e permite-nos encontrar prazer em realidades variadas, mesmo nas fases da vida em que o prazer se apaga. Por isso, dizia São Tomás que se usa a palavra "alegria" para se referir à dilatação da amplitude do coração.[127] A alegria matrimonial, que pode ser vivenciada mesmo no meio do sofrimento, implica aceitar que o matrimônio é uma combinação necessária de alegrias e fadigas, de tensões e repouso, de sofrimentos e libertações, de satisfações e buscas, de aborrecimentos e prazeres, sempre no caminho da amizade que impele os esposos a cuidarem um do outro: "prestam-se recíproca ajuda e serviço".[128]

127. O amor de amizade chama-se "caridade", quando capta e aprecia o "valor sublime" que tem o

---

[126] Ibidem, n. 49.

[127] Cf. *Summa theologiae*, I-II, q. 31, art. 3, ad 3.

[128] GS, n. 48.

outro.[129] A beleza – o "valor sublime" do outro, que não coincide com os seus atrativos físicos ou psicológicos – permite-nos saborear o caráter sagrado da pessoa, sem a imperiosa necessidade de possuí-la. Na sociedade de consumo, o sentido estético empobrece-se e, assim, se apaga a alegria. Tudo se destina a ser comprado, possuído ou consumido, incluindo as pessoas. Ao contrário, a ternura é uma manifestação deste amor que se liberta do desejo da posse egoísta. Leva-nos a vibrar à vista de uma pessoa, com imenso respeito e certo receio de lhe causar dano ou tirar a sua liberdade. O amor pelo outro implica este gosto de contemplar e apreciar o que é belo e sagrado do seu ser pessoal, que existe para além das minhas necessidades. Isto permite-me procurar o seu bem, mesmo quando sei que não pode ser meu ou quando se tornou fisicamente desagradável, agressivo ou chato. Por isso, "do amor pelo qual uma pessoa me é agradável, depende que lhe dê algo de graça".[130]

128. A experiência estética do amor exprime-se no olhar que contempla o outro como fim em si mesmo, ainda que o outro esteja doente, velho ou privado de atrativos sensíveis. O olhar que aprecia tem uma enorme importância e, recusá-lo, habitualmente faz dano. Às vezes, quantas coisas fazem os cônjuges e os filhos para

---

[129] TOMÁS DE AQUINO, *Summa theologiae*, I-II, q. 26, art. 3.

[130] Ibidem, I-II, q. 110, art. 1.

ser considerados e levados em conta! Muitas feridas e crises têm a sua origem no momento em que deixamos de nos contemplar. Isto é o que exprimem algumas queixas e reclamações, que se ouvem nas famílias: "O meu marido não me olha, para ele parece que sou invisível". "Por favor, olha para mim quando falo com você". "A minha mulher já não me olha, agora só tem olhos para os filhos". "Em minha casa, não interesso a ninguém, sequer me veem, é como se eu não existisse". O amor abre os olhos e permite ver melhor, além de tudo, quanto vale um ser humano.

129. A alegria deste amor contemplativo deve ser cultivada. Uma vez que somos feitos para amar, sabemos que não há maior alegria do que partilhar um bem: "Dá e recebe, e alegra a ti mesmo" (Eclo 14,16). As alegrias mais intensas da vida surgem, quando se pode provocar a felicidade dos outros, em uma antecipação do Céu. Vem a calhar recordar uma cena feliz do filme *A festa de Babette*, quando a generosa cozinheira recebe um abraço agradecido e este elogio: "Como deliciarás os anjos!". É doce e consoladora a alegria de fazer as delícias para os outros, vê-los usufruir delas. Este júbilo, efeito do amor fraterno, não é o da vaidade de quem olha para si mesmo, mas o do amante que se compraz no bem do ser amado, que transborda para o outro e se torna fecundo nele.

130. Por outro lado, a alegria renova-se no sofrimento. Como dizia Santo Agostinho, "quanto mais grave foi o perigo no combate, tanto maior é o gozo no triunfo".[131] Depois de ter sofrido e lutado unidos, os cônjuges podem experimentar que valeu a pena, porque conseguiram algo de bom, aprenderam alguma coisa juntos ou podem apreciar melhor o que têm. Poucas alegrias humanas são tão profundas e festivas como quando duas pessoas que se amam conquistaram, conjuntamente, algo que lhes custou um grande esforço compartilhado.

Casar-se por amor

131. Quero dizer aos jovens que nada disto é prejudicado, quando o amor assume a modalidade da instituição matrimonial. A união encontra nesta instituição o modo de canalizar a sua estabilidade e o seu crescimento real e concreto. É verdade que o amor é muito mais do que um consentimento externo ou uma forma de contrato matrimonial, mas é igualmente certo que a decisão de dar ao matrimônio uma configuração visível na sociedade com certos compromissos manifesta a sua relevância: mostra a seriedade da identificação com o outro, indica uma superação do individualismo de adolescente e expressa a firme opção de pertencerem um ao outro. Casar-se é uma maneira de exprimir que

---

[131] *Confissões*, VIII, 3, 7: *PL* 32, 752.

realmente se abandonou o ninho materno, para tecer outros laços fortes e assumir uma nova responsabilidade perante outra pessoa. Isto vale muito mais do que uma mera associação espontânea para mútua compensação, que seria a privatização do matrimônio. Este, como instituição social, é proteção e instrumento para o compromisso mútuo, para o amadurecimento do amor, para que a opção pelo outro cresça em solidez, concretização e profundidade, e possa, por sua vez, cumprir a sua missão na sociedade. Por isso, o matrimônio supera qualquer moda passageira e persiste. A sua essência está radicada na própria natureza da pessoa humana e do seu caráter social. Implica uma série de obrigações; mas estas brotam do próprio amor, um amor tão decidido e generoso que é capaz de arriscar o futuro.

132. Semelhante opção pelo matrimônio expressa a decisão real e efetiva de transformar dois caminhos em um só, aconteça o que acontecer e contra todo e qualquer desafio. Pela seriedade de que se reveste este compromisso público de amor, não pode ser uma decisão precipitada; mas, pela mesma razão, também não pode ser adiado indefinidamente. Comprometer-se de forma exclusiva e definitiva com outrem sempre encerra uma parcela de risco e de aposta ousada. A recusa de assumir tal compromisso é egoísta, interesseira, mesquinha; não consegue reconhecer os direitos do outro e não chega jamais a apresentá-lo à sociedade como

digno de ser amado incondicionalmente. Aliás, os que estão verdadeiramente enamorados tendem a manifestar aos outros o seu amor. O amor concretizado em um matrimônio contraído diante dos outros, com todas as obrigações decorrentes dessa institucionalização, é manifestação e proteção de um "sim" que se dá sem reservas nem restrições. Este sim significa dizer ao outro que poderá sempre confiar que não será abandonado, mesmo se perder atrativo, se tiver dificuldades ou caso se apresentem novas possibilidades de prazer ou de interesses egoístas.

Amor que se manifesta e cresce

133. O amor de amizade unifica todos os aspectos da vida matrimonial e ajuda os membros da família a avançarem em todas as suas fases. Por isso, os gestos que exprimem este amor devem ser constantemente cultivados, sem mesquinhez, cheios de palavras generosas. Na família, "é necessário usar três palavras: com licença, obrigado, desculpa. Três palavras-chave".[132] "Quando em uma família não somos invasores e pedimos 'com licença', quando na família não somos egoístas e aprendemos a dizer 'obrigado', e quando na família nos damos conta de que fizemos algo incorreto e pedimos

---

[132] FRANCISCO, *Discurso às famílias do mundo inteiro por ocasião da sua peregrinação a Roma no Ano da Fé* (26 de outubro de 2013): *AAS* 105 (2013), 980.

'desculpa', nessa família existe paz e alegria".[133] Não sejamos mesquinhos no uso destas palavras, sejamos generosos repetindo-as no dia a dia, porque "pesam certos silêncios, às vezes mesmo em família, entre marido e mulher, entre pais e filhos, entre irmãos".[134] Pelo contrário, as palavras adequadas, ditas no momento certo, protegem e alimentam o amor dia após dia.

134. Tudo isto se realiza em um caminho de contínuo crescimento. Esta forma muito particular de amor, que é o matrimônio, é chamada a um amadurecimento constante, pois se deve aplicar a ele sempre o que São Tomás de Aquino dizia da caridade: "A caridade, devido à sua natureza, não tem um termo de aumento, porque é uma participação da caridade infinita que é o Espírito Santo. (…) E, do lado do sujeito, também não é possível prefixar-lhe um fim, porque, ao crescer na caridade, eleva-se também a capacidade para um aumento maior".[135] Paulo exortava com veemência: "O Senhor vos faça crescer abundantemente no amor de uns para com os outros" (1Ts 3,12); e acrescenta: "A respeito do amor (…), contentamo-nos em vos exortar, irmãos, a

---

[133] FRANCISCO, *Angelus* (29 de dezembro de 2013): *L'Osservatore Romano* (ed. semanal portuguesa de 02/01/2014), 12.

[134] FRANCISCO, *Discurso às famílias do mundo inteiro por ocasião da sua peregrinação a Roma no Ano da Fé* (26 de outubro de 2013): *AAS* 105 (2013), 978.

[135] *Summa theologiae*, II-II, q. 24, art. 7.

fazer novos progressos" (1Ts 4,9.10). Sempre mais. O amor matrimonial não se estimula falando, antes de tudo, da indissolubilidade como uma obrigação, nem repetindo uma doutrina, mas robustecendo-o por meio de um crescimento constante sob o impulso da graça. O amor que não cresce, começa a correr perigo; e só podemos crescer correspondendo à graça divina com mais atos de amor, com atos de carinho mais frequentes, mais intensos, mais generosos, mais ternos, mais alegres. O marido e a mulher "tomam consciência da própria unidade e cada vez mais a realizam".[136] O dom do amor divino que se derrama nos esposos é, ao mesmo tempo, um apelo a um constante desenvolvimento deste dom da graça.

135. Não fazem bem certas fantasias sobre um amor idílico e perfeito, privando-o assim de todo o estímulo para crescer. Uma ideia celestial do amor terreno esquece que o melhor ainda não foi alcançado, o vinho amadurecido com o tempo. Como recordaram os bispos do Chile, "não existem as famílias perfeitas que a publicidade falaciosa e consumista nos propõe. Nelas, não passam os anos, não existe a doença, a tribulação nem a morte. (...) A publicidade consumista mostra uma realidade ilusória que não tem nada a ver com a realidade que devem enfrentar no dia a dia os

---

[136] GS, n. 48.

pais e as mães de família".[137] É mais saudável aceitar com realismo os limites, os desafios e as imperfeições, e dar ouvidos ao apelo para crescer juntos, fazer amadurecer o amor e cultivar a solidez da união, aconteça o que acontecer.

O diálogo

136. O diálogo é uma modalidade privilegiada e indispensável para viver, exprimir e maturar o amor na vida matrimonial e familiar. Mas requer um longo e diligente aprendizado. Homens e mulheres, adultos e jovens têm maneiras diferentes de se comunicar, usam linguagens diferentes, regem-se por códigos distintos. O modo de perguntar, a forma de responder, o tom usado, o momento escolhido e muitos outros fatores podem condicionar a comunicação. Além disso, é sempre necessário cultivar algumas atitudes que são expressão de amor e tornam possível o diálogo autêntico.

137. Reservar tempo, tempo de qualidade, que permita escutar, com paciência e atenção, até que o outro tenha manifestado tudo o que precisava comunicar. Isto requer a ascese de não começar a falar antes do momento apropriado. Em vez de começar a dar opiniões ou conselhos, é preciso assegurar-se de ter escutado tudo o que o outro tem necessidade de dizer.

---

[137] Conferência Episcopal do Chile, *La vida y la familia: regalos de Dios para cada uno de nosotros* (21 de julho de 2014).

Isto implica fazer silêncio interior, para escutar sem ruídos no coração e na mente: despojar-se das pressas, colocar de lado as próprias necessidades e urgências, dar espaço. Muitas vezes um dos cônjuges não precisa de uma solução para os seus problemas, mas de ser ouvido. Tem de sentir que se apreendeu a sua mágoa, a sua desilusão, o seu medo, a sua ira, a sua esperança, o seu sonho. Todavia, é frequente ouvir essas queixas: "Não me ouve. E quando parece que ouve, na realidade está pensando em outra coisa". "Enquanto falo tenho a sensação de que está esperando que acabe logo". "Quando falo com você, tenta mudar de assunto ou me dá respostas rápidas para encerrar a conversa".

138. Desenvolver o hábito de dar real importância ao outro. Trata-se de dar valor à sua pessoa, reconhecer que tem direito de existir, pensar de maneira autônoma e ser feliz. É preciso nunca subestimar o que o outro diz ou reivindica, ainda que seja necessário exprimir o meu ponto de vista. A tudo isto subjaz a convicção de que todos têm algo para dar, pois têm outra experiência da vida, olham de outro ponto de vista, desenvolveram outras preocupações e possuem outras capacidades e intuições. É possível reconhecer a verdade do outro, a importância das suas preocupações mais profundas e a motivação que fundamenta o que diz, inclusive as palavras agressivas. Para isso, é preciso colocar-se no lugar do outro e interpretar a profundidade do seu coração,

individuar o que o apaixona, e tomar essa paixão como ponto de partida para aprofundar o diálogo.

139. Amplitude mental, para não se encerrar obsessivamente em umas poucas ideias, e flexibilidade para poder modificar ou completar as próprias opiniões. É possível que, do meu pensamento e do pensamento do outro, possa surgir uma nova síntese que enriqueça a ambos. A unidade, a que temos de aspirar, não é uniformidade, mas uma "unidade na diversidade" ou uma "diversidade reconciliada". Neste estilo enriquecedor de comunhão fraterna, seres diferentes encontram-se, respeitam-se e apreciam-se, mas mantêm distintos matizes e acentos que enriquecem o bem comum. Temos de nos libertar da obrigação de sermos iguais. Também é necessário sagacidade para advertir eventuais "interferências" a tempo, a fim de que não destruam um processo de diálogo. Por exemplo, reconhecer os maus sentimentos que poderiam surgir e relativizá-los, para não prejudicarem a comunicação. É importante a capacidade de expressar o que se sente, sem ferir; utilizar uma linguagem e um modo de falar que possam ser mais facilmente aceitos ou tolerados pelo outro, embora o conteúdo seja exigente; expor as próprias críticas, mas sem descarregar a ira como uma forma de vingança, e evitar uma linguagem moralizante que procure apenas agredir, ironizar, culpabilizar, ferir. Há tantas discussões entre o casal que não são por questões muito graves;

às vezes trata-se de pequenas coisas, pouco relevantes, mas o que altera os ânimos é o modo de dizê-las ou a atitude que se assume no diálogo.

140. Ter gestos de solicitude pelo outro e demonstrações de carinho. O amor supera as piores barreiras. Quando se pode amar alguém ou quando nos sentimos amados por essa pessoa, conseguimos entender melhor o que ela quer exprimir e fazer-nos compreender. É preciso superar a fragilidade que nos leva a temer o outro como se fosse um "concorrente". É muito importante fundar a própria segurança em opções profundas, convicções e valores, e não no desejo de ganhar uma discussão ou no fato de nos darem razão.

141. Por último, reconheçamos que, para ser profícuo o diálogo, é preciso ter algo para se dizer; e isto requer uma riqueza interior que se alimenta com a leitura, a reflexão pessoal, a oração e a abertura à sociedade. Caso contrário, a conversa torna-se aborrecida e inconsistente. Quando cada um dos cônjuges não cultiva o próprio espírito e não há uma variedade de relações com outras pessoas, a vida familiar torna-se endogâmica e o diálogo fica empobrecido.

Amor apaixonado

142. O Concílio Vaticano II ensinou que este amor conjugal "compreende o bem de toda a pessoa e, por

conseguinte, pode conferir especial dignidade às manifestações do corpo e do espírito, enobrecendo-as como elementos e sinais peculiares do amor conjugal".[138] Deve haver qualquer motivo para um amor sem prazer nem paixão se revelar insuficiente a simbolizar a união do coração humano com Deus: "Todos os místicos afirmaram que o amor sobrenatural e o amor celeste encontram os símbolos que procuram mais no amor matrimonial do que na amizade, no sentimento filial ou na dedicação a uma causa. E o motivo encontra-se precisamente na sua totalidade".[139] Sendo assim, por que não determo-nos a falar dos sentimentos e da sexualidade no matrimônio?

O mundo das emoções

143. Desejos, sentimentos, emoções (os clássicos os chamavam de "paixões") ocupam um lugar importante no matrimônio. Geram-se quando "outro" se torna presente e intervém na minha vida. É próprio de todo o ser vivo tender para outra realidade, e esta tendência reveste-se sempre de sinais afetivos basilares: prazer ou sofrimento, alegria ou tristeza, ternura ou receio. São o pressuposto da atividade psicológica mais elementar. O ser humano é um vivente desta terra, e tudo o que faz e busca está carregado de paixões.

---

[138] GS, n. 49.

[139] A. Sertillanges, *L'amour chrétien* (Paris 1920), 174.

144. Verdadeiro homem, Jesus vivia as coisas com grande emotividade. Por isso, sofria com a rejeição de Jerusalém (cf. Mt 23,37) e, por esta situação, chorou (cf. Lc 19,41). Compadecia-Se também à vista da multidão atribulada (cf. Mc 6,34). Vendo os outros a chorar, comovia-Se e perturbava-Se (cf. Jo 11,33), e Ele mesmo chorou pela morte de um amigo (cf. Jo 11,35). Estas manifestações da sua sensibilidade mostram até que ponto estava aberto aos outros o seu coração humano.

145. Experimentar uma emoção não é, em si mesmo, algo moralmente bom nem mau.[140] Começar a sentir desejo ou repulsa não é pecaminoso nem censurável. O que pode ser bom ou mau é o ato que a pessoa realiza movida ou sustentada por uma paixão. Pois, se os sentimentos são alimentados, procurados e, por causa deles, cometemos más ações, o mal está na decisão de alimentá-los e nos atos maus que se seguem. Na mesma linha, sentir atração por alguém não é, por si só, um bem. Se esta atração me leva a procurar que essa pessoa se torne minha escrava, o sentimento estará ao serviço do meu egoísmo. Julgar que somos bons só porque "experimentamos sentimentos", é um tremendo engano. Há pessoas que se sentem capazes de um grande amor, só porque têm grande necessidade de afeto, mas não conseguem lutar pela felicidade dos outros e

---

[140] Cf. TOMÁS DE AQUINO, *Summa theologiae*, I-II, q. 24, art. 1.

vivem confinados nos próprios desejos. Neste caso, os sentimentos desviam dos grandes valores e escondem um egocentrismo que torna impossível cultivar uma vida sadia e feliz em família.

146. Entretanto, se uma paixão acompanha o ato livre, pode manifestar a profundidade dessa opção. O amor matrimonial leva a procurar que toda a vida emotiva se torne um bem para a família e esteja a serviço da vida em comum. A maturidade chega a uma família, quando a vida emotiva dos seus membros se transforma em uma sensibilidade que não domina nem obscurece as grandes opções e valores, mas segue a sua liberdade,[141] brota dela, enriquece-a, embeleza-a e torna-a mais harmoniosa para bem de todos.

Deus ama a alegria dos seus filhos

147. Isto requer um caminho pedagógico, um processo que inclui renúncias: é uma convicção da Igreja, que muitas vezes foi rejeitada pelo mundo como se fosse inimiga da felicidade humana. Bento XVI registra esta crítica com muita clareza: "Com os seus mandamentos e proibições, a Igreja não nos torna porventura amarga a coisa mais bela da vida? Porventura não assinala ela proibições precisamente onde a alegria, preparada para nós pelo Criador, nos oferece uma felicidade que nos

---

[141] Cf. ibidem, I-II, q. 59, art. 5.

faz pressentir algo do Divino?".¹⁴² Mas ele responde que, embora não tenham faltado exageros ou ascetismos extraviados no cristianismo, a Doutrina oficial da Igreja, fiel à Sagrada Escritura, não rejeitou "o *eros* enquanto tal, mas declarou guerra à sua subversão devastadora, porque a falsa divinização do *eros* (...) priva-o da sua dignidade, desumaniza-o".¹⁴³

148. É necessária a educação da emotividade e do instinto e, para isso, às vezes torna-se indispensável impormo-nos algum limite. O excesso, o descontrole, a obsessão por um único tipo de prazer acabam por debilitar e combalir o próprio prazer,¹⁴⁴ e prejudicam a vida da família. Na verdade, pode-se fazer um belo caminho com as paixões, o que significa orientá-las cada vez mais em um projeto de autodoação e plena realização própria que enriquece as relações interpessoais no seio da família. Isto não implica renunciar a momentos de intenso prazer,¹⁴⁵ mas assumi-los de certo modo entrelaçados com outros momentos de dedicação generosa, espera paciente, inevitável fadiga, esforço por um ideal. A vida em família é tudo isto e merece ser vivida inteiramente.

---

[142] DCE, n. 3.

[143] Ibidem, n. 4: o. c., 220.

[144] Cf. TOMÁS DE AQUINO, *Summa theologiae*, I-II, q. 32, art. 7.

[145] Cf. ibidem, II-II, q. 153, art. 2, ad 2: "*Abundantia delectationis quae est in actu venereo secundum rationem ordinato, non contrariatur medio virtutis*".

149. Algumas correntes espirituais insistem em eliminar o desejo para se libertar da dor. Mas nós acreditamos que Deus ama a alegria do ser humano, pois Ele criou tudo "para nosso bom uso" (1Tm 6,17). Deixemos brotar a alegria à vista da sua ternura, quando nos propõe: "Filho, se tens posses, faze o bem a ti mesmo (…) Não te prives do bem de um dia" (Eclo 14,11.14). Também um casal de esposos corresponde à vontade de Deus, quando segue este convite bíblico: "Num dia feliz desfruta dos bens" (Ecl 7,14). A questão é ter a liberdade para aceitar que o prazer encontre outras formas de expressão nos sucessivos momentos da vida, de acordo com as necessidades do amor mútuo. Neste sentido, pode-se aceitar a proposta de alguns mestres orientais que insistem em ampliar a consciência, para não ficar presos em uma experiência muito limitada que nos fecharia as perspectivas. Esta ampliação da consciência não é a negação ou a destruição do desejo, mas a sua dilatação e aperfeiçoamento.

A dimensão erótica do amor

150. Tudo isto nos leva a falar da vida sexual dos esposos. O próprio Deus criou a sexualidade, que é um presente maravilhoso para as suas criaturas. Quando se cultiva e evita o seu descontrole, fazemo-lo para impedir que se produza o "depauperamento de um

valor autêntico".[146] São João Paulo II rejeitou a ideia de que a doutrina da Igreja leve a "uma negação do valor do sexo humano" ou que o tolere simplesmente "pela necessidade da procriação".[147] A necessidade sexual dos esposos não é objeto de menosprezo, e "não se trata de modo algum de pôr em questão aquela necessidade".[148]

151. Aos que receiam que, com a educação das paixões e da sexualidade, se prejudique a espontaneidade do amor sexual, São João Paulo II respondia que o ser humano "é também chamado à plena e matura espontaneidade das relações", que "é o fruto gradual do discernimento dos impulsos do próprio coração".[149] É algo que se conquista, pois todo o ser humano "deve, perseverante e coerentemente, aprender o que é o significado do corpo".[150] A sexualidade não é um recurso para compensar ou entreter, mas trata-se de uma linguagem interpessoal onde o outro é levado a sério, com o seu valor sagrado e inviolável. Assim, "o coração

---

[146] JOÃO PAULO II, *Catequese* (22 de outubro de 1980), 5: *Insegnamenti* 3/2 (1980), 951; *L'Osservatore Romano* (ed. semanal portuguesa de 26/10/1980), 12.

[147] Ibidem, 3.

[148] JOÃO PAULO II, *Catequese* (24 de setembro de 1980), 4: *Insegnamenti* 3/2 (1980), 719; *L'Osservatore Romano* (ed. semanal portuguesa de 28/09/1980), 12.

[149] JOÃO PAULO II, *Catequese* (12 de novembro de 1980), 2: *Insegnamenti* 3/2 (1980), 1133; *L'Osservatore Romano* (ed. semanal portuguesa de 16/11/1980), 12.

[150] Ibidem, 4.

humano torna-se participante, por assim dizer, de outra espontaneidade".[151] Neste contexto, o erotismo aparece como uma manifestação especificamente humana da sexualidade. Nele pode-se encontrar o "significado esponsal do corpo e a autêntica dignidade do dom".[152] Nas suas catequeses sobre a teologia do corpo humano, São João Paulo II ensinou que a corporeidade sexuada "é não só fonte de fecundidade e de procriação", mas possui "a capacidade de exprimir o amor: exatamente aquele amor em que o homem-pessoa se torna dom".[153] O erotismo mais saudável, embora esteja ligado a uma busca de prazer, supõe a admiração e, por isso, pode humanizar os impulsos.

152. Assim, não podemos, de maneira alguma, entender a dimensão erótica do amor como um mal permitido ou como um peso tolerável para o bem da família, mas como dom de Deus que embeleza o encontro dos esposos. Tratando-se de uma paixão sublimada pelo amor que admira a dignidade do outro, torna-se uma "afirmação amorosa plena e cristalina", mostrando-nos de que maravilhas é capaz o coração humano, e assim,

---

[151] Ibidem, 5.

[152] Ibidem, 1.

[153] JOÃO PAULO II, *Catequese* (16 de janeiro de 1980), 1: *Insegnamenti* 3/1 (1980), 151; *L'Osservatore Romano* (ed. semanal portuguesa de 20/01/1980), 12.

por um momento, "sente-se que a existência humana foi um sucesso".[154]

Violência e manipulação

153. No contexto desta visão positiva da sexualidade, é oportuno apresentar o tema na sua integridade e com um realismo são. Pois não podemos ignorar que muitas vezes a sexualidade se despersonaliza e enche de patologias, de modo que "se torna cada vez mais ocasião e instrumento de afirmação do próprio eu e de satisfação egoísta dos próprios desejos e instintos".[155] Neste tempo, também a sexualidade corre grande risco de se ver dominada pelo espírito venenoso do "usa e joga fora". Com frequência, o corpo do outro é manipulado como uma coisa que se conserva enquanto proporciona satisfação e se despreza quando perde atrativo. Podem-se porventura ignorar ou dissimular as formas constantes de domínio, prepotência, abuso, perversão e violência sexual que resultam de uma distorção do significado da sexualidade e sepultam a dignidade dos outros e o apelo ao amor sob uma obscura procura de si mesmo?

154. Nunca é demais lembrar que, mesmo no matrimônio, a sexualidade pode tornar-se fonte de

---

[154] JOSEF PIEPER, *Über die Liebe* (Munique 2014), 174-175.
[155] EV, n. 23.

sofrimento e manipulação. Por isso, devemos reafirmar, claramente, que "um ato conjugal imposto ao próprio cônjuge, sem consideração pelas suas condições e pelos seus desejos legítimos, não é um verdadeiro ato de amor e nega, por isso mesmo, uma exigência de reta ordem moral, nas relações entre os esposos".[156] Os atos próprios da união sexual dos cônjuges correspondem à natureza da sexualidade querida por Deus, se forem vividos "de modo autenticamente humano".[157] Por isso, São Paulo exortava: "Nesse assunto, ninguém prejudique ou lese o irmão" (1Ts 4,6). E não obstante ele escrevesse em uma época em que dominava uma cultura patriarcal, na qual a mulher era considerada um ser completamente subordinado ao homem, todavia ensinou que a sexualidade deve ser uma questão a discutir entre os cônjuges: levantou a possibilidade de adiar as relações sexuais por algum tempo, mas "de comum acordo" (1Cor 7,5).

155. São João Paulo II fez uma advertência muito sutil, quando disse que o homem e a mulher são "ameaçados pela insaciabilidade".[158] Por outras palavras, são chamados a uma união cada vez mais intensa, mas

---

[156] HV, n. 13.

[157] GS, n. 49.

[158] JOÃO PAULO II, *Catequese* (18 de junho de 1980), 5: *Insegnamenti* 3/1 (1980), 1778; *L'Osservatore Romano* (ed. semanal portuguesa de 29/06/1980), 18.

correm o risco de pretender apagar as diferenças e a distância inevitável que existe entre os dois. Com efeito, cada um possui uma dignidade própria e irrepetível. Quando o bem precioso da pertença recíproca se transforma em domínio, "muda essencialmente a estrutura de comunhão na relação interpessoal".[159] Na lógica do domínio, o dominador acaba também negando a sua própria dignidade[160] e, em última análise, deixa "de identificar-se subjetivamente com o próprio corpo",[161] porque lhe tira todo o significado. Vive o sexo como evasão de si mesmo e como renúncia à beleza da união.

156. É importante deixar claro a rejeição de toda a forma de submissão sexual. Por isso, convém evitar toda a interpretação inadequada do texto da Carta aos Efésios, onde se pede que "as mulheres [sejam submissas] aos maridos" (Ef 5,22). São Paulo exprime-se em categorias culturais próprias daquela época; nós não devemos assumir esta roupagem cultural, mas a mensagem revelada que subjaz ao conjunto da perícope. Retomemos a sábia explicação de São João Paulo II: "O amor exclui todo o gênero de submissão, pelo qual a mulher se

---

[159] Ibidem, 6.

[160] Cf. JOÃO PAULO II, *Catequese* (30 de julho de 1980), 1: *Insegnamenti* 3/2 (1980), 311; *L'Osservatore Romano* (ed. semanal portuguesa de 03/08/1980), 12.

[161] JOÃO PAULO II, *Catequese* (8 de abril de 1981), 3: *Insegnamenti* 4/1 (1981), 904; *L'Osservatore Romano* (ed. semanal portuguesa de 12/04/1981), 12.

tornasse serva ou escrava do marido (...). A comunidade ou unidade, que devem constituir por causa do matrimônio, realiza-se através de uma recíproca doação, que é também submissão mútua".[162] Por isso, se diz que "os maridos devem amar suas mulheres, como amam seu próprio corpo" (Ef 5,28). Na realidade, o texto bíblico convida a superar o cômodo individualismo para viver disponíveis aos outros: "Sede submissos uns aos outros" (Ef 5,21). Entre os cônjuges, esta recíproca "submissão" adquire um significado especial, devendo-se entender como uma pertença mútua livremente escolhida, com um conjunto de características de fidelidade, respeito e solicitude. A sexualidade está ao serviço desta amizade conjugal de modo inseparável, porque tende a procurar que o outro viva em plenitude.

157. Entretanto, a rejeição das distorções da sexualidade e do erotismo nunca deveria levar-nos ao seu desprezo nem ao seu descuido. O ideal do matrimônio não pode configurar-se apenas como uma doação generosa e sacrificada, onde cada um renuncia a qualquer necessidade pessoal e se preocupa apenas por fazer o bem ao outro, sem satisfação alguma. Lembremo-nos de que um amor verdadeiro também sabe receber do outro, é capaz de se aceitar como vulnerável e necessitado,

---

[162] JOÃO PAULO II, *Catequese* (11 de agosto de 1982), 4: *Insegnamenti* 5/3 (1982), 205-206; *L'Osservatore Romano* (ed. semanal portuguesa de 15/08/1982), 8.

não renuncia a receber, com gratidão sincera e feliz, as expressões corporais do amor na carícia, no abraço, no beijo e na união sexual. Bento XVI era claro a este respeito: "Se o homem aspira a ser somente espírito e quer rejeitar a carne como uma herança apenas animalesca, então espírito e corpo perdem a sua dignidade".[163] Por esta razão, "o homem também não pode viver exclusivamente no amor oblativo, descendente. Não pode limitar-se sempre a dar, deve também receber. Quem quer dar amor, deve ele mesmo recebê-lo em dom".[164] Em todo o caso, isto supõe ter presente que o equilíbrio humano é frágil, sempre permanece algo que resiste a ser humanizado e que, a qualquer momento, pode fugir-nos de mão novamente, recuperando as suas tendências mais primitivas e egoístas.

Matrimônio e virgindade

158. "Muitas pessoas, que vivem sem se casar, não só se dedicam à sua família de origem, mas muitas vezes prestam grandes serviços no seu círculo de amigos, na comunidade eclesial e na vida profissional (…). Depois, muitas põem os seus talentos a serviço da comunidade cristã, como sinal da caridade e do voluntariado. Além disso, há pessoas que não se casam, porque consagram a vida por amor a Cristo e aos irmãos. Na

---

[163] DCE, n. 5.
[164] Ibidem, n. 7: o. c., 223-224.

Igreja e na sociedade, a família é deveras enriquecida pela sua dedicação".[165]

159. A virgindade é uma forma de amor. Como sinal, recorda-nos a solicitude pelo Reino, a urgência de entregar-se sem reservas ao serviço da evangelização (cf. 1Cor 7,32) e é um reflexo da plenitude do Céu, onde "não haverá homens e mulheres casando-se" (Mt 22,30). São Paulo recomendava a virgindade, porque esperava para breve o regresso de Jesus Cristo e queria que todos se concentrassem apenas na evangelização: "O tempo abreviou-se" (1Cor 7,29). Contudo deixa claro que era uma opinião pessoal e um desejo dele (cf. 1Cor 7,6-8), não uma exigência de Cristo: "Não tenho nenhum mandamento do Senhor" (1Cor 7,25). Ao mesmo tempo reconhecia o valor de ambas as vocações: "Cada um recebe de Deus um dom particular, um este, outro aquele" (1Cor 7,7). Neste sentido, diz São João Paulo II que os textos bíblicos "não oferecem motivo para sustentar nem a 'inferioridade' do matrimônio, nem a 'superioridade' da virgindade ou do celibato"[166] devido à abstinência sexual. Em vez de se falar da superioridade da virgindade sob todos os aspectos, parece mais apropriado mostrar que os diferentes estados de vida são complementares, de tal modo que um

---

[165] *Relatio Finalis* 2015, n. 22.

[166] JOÃO PAULO II, *Catequese* (14 de abril de 1982), 1: *Insegnamenti* 5/1 (1982), 1176; *L'Osservatore Romano* (ed. semanal portuguesa de 18/04/1982), 12.

pode ser mais perfeito num sentido e outro pode sê-lo a partir de um ponto de vista diferente. Por exemplo, Alexandre de Hales afirmava que, em certo sentido, o matrimônio pode-se considerar superior aos restantes sacramentos, porque simboliza algo tão grande como "a união de Cristo com a Igreja ou a união da natureza divina com a humana".[167]

160. Portanto "não se trata de diminuir o valor do matrimônio em favor da continência"[168] e "não existe fundamento algum para uma suposta contraposição (...). Se, considerando certa tradição teológica, se fala do estado de perfeição (*status perfectionis*), não é por motivo da continência mesma, mas a propósito do conjunto da vida fundada sobre os conselhos evangélicos".[169] Entretanto, uma pessoa casada pode viver a caridade em um grau altíssimo. E assim "chega àquela perfeição que nasce da caridade, mediante a fidelidade ao espírito dos referidos conselhos. Tal perfeição é possível e acessível a cada homem".[170]

---

[167] *Glossa in quatuor libros sententiarum Petri Lombardi*, IV, XXVI, 2 (Quaracchi 1957, 446).

[168] JOÃO PAULO II, *Catequese* (7 de abril de 1982), 2: *Insegnamenti* 5/1 (1982), 1127; *L'Osservatore Romano* (ed. semanal portuguesa de 11/04/1982), 12.

[169] JOÃO PAULO II, *Catequese* (14 de abril de 1982), 3: *Insegnamenti* 5/1 (1982), 1177; *L'Osservatore Romano* (ed. semanal portuguesa de 18/04/1982), 12.

[170] Idem.

161. A virgindade tem o valor simbólico do amor que não necessita possuir o outro, refletindo assim a liberdade do Reino dos Céus. É um convite para os esposos viverem o seu amor conjugal na perspectiva do amor definitivo a Cristo, como um caminho comum rumo à plenitude do Reino. Por sua vez, o amor dos esposos apresenta outros valores simbólicos: por um lado, é reflexo peculiar da Trindade, porque a Trindade é unidade plena na qual existe também a distinção. Além disso, a família é um sinal cristológico, porque mostra a proximidade de Deus que compartilha a vida do ser humano unindo-Se-lhe na Encarnação, na Cruz e na Ressurreição: cada cônjuge torna-se "uma só carne" com o outro e oferece a si mesmo para partilhar tudo com ele até o fim. Enquanto a virgindade é um sinal "escatológico" de Cristo ressuscitado, o matrimônio é um sinal "histórico" para nós que caminhamos na terra, um sinal de Cristo terreno que aceitou unir-Se a nós e Se deu até o derramamento do seu sangue. A virgindade e o matrimônio são – e devem ser – modalidades diferentes de amar, porque "o homem não pode viver sem amor. Ele permanece para si próprio um ser incompreensível e a sua vida é destituída de sentido, se não lhe for revelado o amor".[171]

---

[171] RH, n. 10.

162. O celibato corre o risco de ser uma cômoda solidão, que dá liberdade para se mover autonomamente, mudar de local, tarefa e opção, dispor do seu próprio dinheiro, conviver com as mais variadas pessoas segundo a atração do momento. Neste caso, sobressai o testemunho das pessoas casadas. Aqueles que foram chamados à virgindade podem encontrar, em alguns casais de esposos, um sinal claro da fidelidade generosa e indestrutível de Deus à sua Aliança, que pode estimular os seus corações a uma disponibilidade mais concreta e oblativa. Com efeito, há pessoas casadas que mantêm a sua fidelidade, quando o cônjuge se tornou fisicamente desagradável ou deixou de satisfazer as suas necessidades; e fazem-no, não obstante muitas ocasiões os convidarem à infidelidade ou ao abandono. Uma mulher pode cuidar do marido doente e ali, ao pé da Cruz, volta a oferecer o "sim" do seu amor até a morte. Em semelhante amor, manifesta-se de forma esplêndida a dignidade de quem ama, dignidade como reflexo da caridade, já que é mais próprio da caridade amar do que ser amado.[172] Uma capacidade de serviço oblativo e carinhoso pode ser observada também em muitas famílias com filhos difíceis e até ingratos. Isto faz desses pais um sinal do amor livre e desinteressado de Jesus. Tudo isto se torna, para as pessoas celibatárias, um convite a viverem a sua dedicação ao Reino

---

[172] Cf. TOMÁS DE AQUINO, *Summa theologiae*, II-II, q. 27, art. 1.

com maior generosidade e disponibilidade. Hoje, a secularização ofuscou o valor de uma união para toda a vida e debilitou a riqueza da dedicação matrimonial, pelo que "é preciso aprofundar os aspectos positivos do amor conjugal".[173]

A transformação do amor

163. O alongamento da vida provocou algo que não era comum em outros tempos: a relação íntima e a mútua pertença devem ser mantidas durante quatro, cinco ou seis décadas, e isto gera a necessidade de renovar repetidas vezes a recíproca escolha. Talvez o cônjuge já não esteja apaixonado com um desejo sexual intenso que o atraia para outra pessoa, mas sente o prazer de lhe pertencer e que esta pessoa lhe pertença, de saber que não está só, de ter um "cúmplice" que conhece tudo da sua vida e da sua história e tudo partilha. É o companheiro no caminho da vida, com quem se pode enfrentar as dificuldades e gozar das coisas lindas. Também isto gera uma satisfação, que acompanha a decisão própria do amor conjugal. Não é possível prometer que teremos os mesmos sentimentos durante a vida inteira; mas podemos ter um projeto comum estável, comprometer-nos a amar-nos e a viver unidos até que a morte nos

---

[173] Pont. Conselho para a Família, *Família, matrimônio e uniões de fato* (26 de julho de 2000), 40.

separe, e viver sempre uma rica intimidade. O amor, que nos prometemos, supera toda a emoção, sentimento ou estado de ânimo, embora possa incluí-los. É um querer-se bem mais profundo, com uma decisão do coração que envolve toda a existência. Assim, no meio de um conflito não resolvido e ainda que muitos sentimentos confusos girem pelo coração, mantém-se viva dia a dia a decisão de amar, de se pertencer, de partilhar a vida inteira e continuar a amar-se e perdoar-se. Cada um dos dois realiza um caminho de crescimento e mudança pessoal. No curso de tal caminho, o amor celebra cada passo, cada etapa nova.

164. Na história de um casal, a aparência física muda, mas isso não é motivo para que a atração amorosa diminua. Um cônjuge enamora-se pela pessoa inteira do outro, com uma identidade própria, e não apenas pelo corpo, embora este corpo, independentemente do desgaste do tempo, nunca deixe de expressar de alguma forma aquela identidade pessoal que cativou o coração. Quando os outros já não podem reconhecer a beleza desta identidade, o cônjuge enamorado continua a ser capaz de individuá-la com o instinto do amor, e o carinho não desaparece. Reitera a sua decisão de lhe pertencer, volta a escolhê-lo, e exprime esta escolha em uma proximidade fiel e cheia de ternura. A nobreza da sua opção pelo outro, por ser intensa e profunda, desperta uma nova forma de emoção no cumprimento desta

missão conjugal. Com efeito, "a emoção provocada por outro ser humano como pessoa (…) não tende, de per si, para o ato conjugal".[174] Adquire outras expressões sensíveis, porque o amor "é uma única realidade, embora com distintas dimensões; caso a caso, pode uma ou outra dimensão sobressair mais".[175] O vínculo encontra novas modalidades e exige a decisão de reatá--lo repetidamente; e não só para conservá-la, mas para fazê-lo crescer. É o caminho de se construir dia após dia. Entretanto, nada disto é possível, se não se invoca o Espírito Santo, se não se clama todos os dias pedindo a sua graça, se não se procura a sua força sobrenatural, se não Lhe fazemos presente o desejo de que derrame o seu fogo sobre o nosso amor para fortalecê-lo, orientá-lo e transformá-lo em cada nova situação.

---

[174] JOÃO PAULO II, *Catequese* (31 de outubro de 1984), 6: *Insegnamenti* 7/2 (1984), 1072; *L'Osservatore Romano* (ed. semanal portuguesa de 04/11/1984), 12.

[175] DCE, n. 8.

Capítulo V

O AMOR QUE SE TORNA FECUNDO

165. O amor sempre dá vida. Por isso, o amor conjugal "não se esgota no interior do próprio casal (…). Os cônjuges, enquanto se doam entre si, doam para além de si mesmos a realidade do filho, reflexo vivo do seu amor, sinal permanente da unidade conjugal e síntese viva e indissociável do ser pai e mãe".[176]

Acolher uma nova vida

166. A família é o âmbito não só da geração, mas também do acolhimento da vida que chega como um presente de Deus. Cada nova vida "permite-nos descobrir a dimensão mais gratuita do amor, que nunca cessa de nos surpreender. É a beleza de ser amado primeiro: os filhos são amados antes de chegar".[177] Isto mostra-nos o primado do amor de Deus que sempre toma a iniciativa, porque os filhos "são amados antes

---

[176] FC, n. 14.
[177] FRANCISCO, *Catequese* (11 de fevereiro de 2015): *L'Osservatore Romano* (ed. semanal portuguesa de 12/02/2015), 16.

de ter feito algo para o merecer".[178] Mas, "desde o início, numerosas crianças são rejeitadas, abandonadas e subtraídas à sua infância e ao seu futuro. Alguns ousam dizer, como que para se justificar, que foi um erro tê-las feito vir ao mundo. Isto é vergonhoso! (…) Que aproveitam as solenes declarações dos direitos do homem e dos direitos da criança, se depois punimos as crianças pelos erros dos adultos?".[179] Se uma criança chega ao mundo em circunstâncias não desejadas, os pais ou os outros membros da família devem fazer todo o possível para aceitá-la como dom de Deus e assumir a responsabilidade de acolhê-la com magnanimidade e carinho. Com efeito, "quando se trata de crianças que vêm ao mundo, nenhum sacrifício dos adultos será julgado demasiado oneroso ou grande, contanto que se evite que uma criança chegue a pensar que é um erro, que não vale nada e que está abandonada aos infortúnios da vida e à prepotência dos homens".[180] O dom de um novo filho, que o Senhor confia ao pai e à mãe, tem início com o seu acolhimento, continua com a sua guarda ao longo da vida terrena e tem como destino final a alegria da vida eterna. Um olhar sereno voltado para a realização final da pessoa humana tornará os

---

[178] Idem.

[179] FRANCISCO, *Catequese* (8 de abril de 2015): *L'Osservatore Romano* (ed. semanal portuguesa de 09/04/2015), 16.

[180] Idem.

pais ainda mais conscientes do precioso dom que lhes foi confiado; de fato, Deus concede-lhes fazer a escolha do nome com que Ele chamará cada um dos seus filhos por toda a eternidade.[181]

167. As famílias numerosas são uma alegria para a Igreja. Nelas, o amor manifesta a sua fecundidade generosa. Isto não implica esquecer uma sã advertência de São João Paulo II, quando explicava que a paternidade responsável não é "procriação ilimitada ou falta de consciência acerca daquilo que é necessário para o crescimento dos filhos, mas é, antes, a faculdade que os cônjuges têm de usar a sua liberdade inviolável de modo sábio e responsável, tendo em consideração tanto as realidades sociais e demográficas, como a sua própria situação e os seus legítimos desejos".[182]

O amor na expectativa própria da gravidez

168. A gravidez é um período difícil, mas também um tempo maravilhoso. A mãe colabora com Deus, para que se verifique o milagre de uma nova vida. A maternidade surge de uma "particular potencialidade

---

[181] "Todos tenham bem presente que a vida humana e a missão de a transmitir não se limitam a este mundo, nem podem ser medidas ou compreendidas unicamente em função dele, mas que estão sempre relacionadas com o eterno destino do homem" (GS, n. 51).

[182] *Carta à Secretária-Geral da Conferência Internacional da ONU sobre População e Desenvolvimento* (18 de março de 1994): *Insegnamenti* 17/1 (1994), 750-751; *L'Osservatore Romano* (ed. semanal portuguesa de 02/04/1994), 4.

do organismo feminino, que, com a sua peculiaridade criadora, serve para a concepção e a geração do ser humano".[183] Cada mulher participa do "mistério da criação, que se renova na geração humana".[184] Assim diz o Salmo: Senhor, "me teceste no seio de minha mãe" (Sl 139/138,13). Cada criança, que se forma dentro de sua mãe, é um projeto eterno de Deus Pai e do seu amor eterno: "Antes de formar-te no seio de tua mãe, eu já te conhecia, antes de saíres do ventre, eu te consagrei" (Jr 1,5). Cada criança está no coração de Deus desde sempre e, no momento em que é concebida, realiza-se o sonho eterno do Criador. Pensemos quanto vale o embrião, desde que é concebido! É preciso contemplá-lo com este olhar amoroso do Pai, que vê para além de toda a aparência.

169. A mulher grávida pode participar deste projeto de Deus, sonhando o seu filho: "Toda a mãe e todo o pai sonharam o seu filho durante nove meses. (…) Não é possível uma família sem o sonho. Em uma família, quando se perde a capacidade de sonhar, os filhos não crescem, o amor não cresce; a vida debilita-se e apaga-se".[185] Neste sonho, para um casal cristão, apa-

---

[183] JOÃO PAULO II, *Catequese* (12 de março de 1980), 3: *Insegnamenti* 3/1 (1980), 543; *L'Osservatore Romano* (ed. semanal portuguesa de 16/03/1980), 12.

[184] Idem.

[185] FRANCISCO, *Discurso no encontro com as famílias*, em Manila (16 de janeiro de 2015): *AAS* 107 (2015), 176.

rece necessariamente o batismo. Os pais preparam-no com a sua oração, confiando o filho a Jesus já antes do seu nascimento.

170. Hoje, com os progressos feitos pela ciência, é possível saber de antemão a cor que terá o cabelo da criança e as doenças que poderá ter no futuro, porque todas as características somáticas daquela pessoa estão inscritas no seu código genético já no estado embrionário. Mas, conhecê-lo em plenitude, só consegue o Pai do Céu que o criou: o mais precioso, o mais importante só Ele conhece, pois é Ele que sabe quem é aquela criança, qual é a sua identidade mais profunda. A mãe, que o traz no ventre, precisa pedir luz a Deus para poder conhecer em profundidade o seu próprio filho e saber esperá-lo como ele é. Alguns pais sentem que o seu filho não chega no melhor momento; faz-lhes falta pedir ao Senhor que os cure e fortaleça para aceitarem plenamente aquele filho, para o esperarem com todo o coração. É importante que aquela criança se sinta esperada. Não é um complemento ou uma solução para uma aspiração pessoal, mas um ser humano, com um valor imenso, e não pode ser usado para benefício próprio. Por conseguinte, não é importante se esta nova vida te será útil ou não, se possui características que te agradam ou não, se corresponde ou não aos teus projetos e sonhos. Porque "os filhos são uma dádiva! Cada um é único e irrepetível (…). Um filho é amado porque é

filho: não, porque é bonito ou porque é deste modo ou daquele, mas porque é filho! Não, porque pensa como eu, nem porque encarna as minhas aspirações. Um filho é um filho".[186] O amor dos pais é instrumento do amor de Deus Pai, que espera com ternura o nascimento de cada criança, aceita-a incondicionalmente e acolhe-a gratuitamente.

171. A cada mulher grávida quero pedir afetuosamente: cuida da tua alegria, que nada te tire a alegria interior da maternidade. Tua criança merece a tua alegria. Não permitas que os medos, as preocupações, os comentários alheios ou os problemas apaguem esta felicidade de ser instrumento de Deus para trazer uma nova vida ao mundo. Ocupa-te do que é preciso fazer ou preparar, mas sem obsessões, e louva como Maria: "A minha alma engrandece o Senhor, e meu espírito se alegra em Deus, meu Salvador, porque ele olhou para a humildade de sua serva" (Lc 1,46-48). Vive, com sereno entusiasmo, no meio dos teus incômodos e pede ao Senhor que guarde a tua alegria para poderes transmiti-la a teu filho.

---

[186] FRANCISCO, *Catequese* (11 de fevereiro de 2015): *L'Osservatore Romano* (ed. semanal portuguesa de 12/02/2015), 16.

Amor de mãe e de pai

172. "Recém-nascidas, as crianças começam a receber em dom, juntamente com o alimento e os cuidados, a confirmação das qualidades espirituais do amor. Os gestos de amor passam através do dom do seu nome pessoal, da partilha da linguagem, das intenções dos olhares, das iluminações dos sorrisos. Assim, aprendem que a beleza do vínculo entre os seres humanos mostra a nossa alma, procura a nossa liberdade, aceita a diversidade do outro, reconhece-o e respeita-o como interlocutor. (...) E isto é amor, que contém uma centelha do amor de Deus".[187] Toda criança tem direito a receber o amor de uma mãe e de um pai, ambos necessários para o seu amadurecimento íntegro e harmonioso. Como disseram os bispos da Austrália, ambos "contribuem, cada um à sua maneira, para o crescimento de uma criança. Respeitar a dignidade de uma criança significa afirmar a sua necessidade e o seu direito natural a ter uma mãe e um pai".[188] Não se trata apenas do amor do pai e da mãe separadamente, mas também do amor entre eles, captado como fonte da própria existência, como ninho acolhedor e como fundamento da família. Caso contrário, o filho parece

---

[187] FRANCISCO, *Catequese* (14 de outubro de 2015): *L'Osservatore Romano* (ed. semanal portuguesa de 15/10/2015), 12.

[188] Conferência dos Bispos Católicos da Austrália, Carta pastoral *Don't mess with marriage* (24 de novembro de 2015), 11.

reduzir-se a uma posse caprichosa. Ambos, homem e mulher, pai e mãe, são "cooperadores do amor de Deus criador e como que os seus intérpretes".[189] Mostram aos seus filhos o rosto materno e o rosto paterno do Senhor. Além disso, é juntos que eles ensinam o valor da reciprocidade, do encontro entre seres diferentes, onde cada um contribui com a sua própria identidade e sabe também receber do outro. Se, por alguma razão inevitável, falta um dos dois, é importante procurar alguma maneira de compensá-lo, para favorecer o adequado amadurecimento do filho.

173. O sentimento de ser órfãos, que hoje experimentam muitas crianças e jovens, é mais profundo do que pensamos. Hoje reconhecemos como plenamente legítimo, e até desejável, que as mulheres queiram estudar, trabalhar, desenvolver as suas capacidades e ter objetivos pessoais. Mas, ao mesmo tempo, não podemos ignorar a necessidade que as crianças têm da presença materna, especialmente nos primeiros meses de vida. A realidade é que "a mulher apresenta-se diante do homem como mãe, sujeito da nova vida humana, que nela é concebida e se desenvolve, e dela nasce para o mundo".[190] O enfraquecimento da presença materna,

---

[189] GS, n. 50.

[190] JOÃO PAULO II, *Catequese* (12 de março de 1980), 2: *Insegnamenti* 3/1 (1980), 542; *L'Osservatore Romano* (ed. semanal portuguesa de 16/03/1980), 12.

com as suas qualidades femininas, é um risco grave para a nossa terra. Aprecio o feminismo, quando não pretende a uniformidade nem a negação da maternidade. Com efeito, a grandeza das mulheres implica todos os direitos decorrentes da sua dignidade humana inalienável, mas também do seu gênio feminino, indispensável para a sociedade. As suas capacidades especificamente femininas – em particular a maternidade – conferem-lhe também deveres, já que o seu ser mulher implica também uma missão peculiar nesta terra, que a sociedade deve proteger e preservar para bem de todos.[191]

174. De fato, "as mães são o antídoto mais forte contra o propagar-se do individualismo egoísta. (…) São elas que testemunham a beleza da vida".[192] Sem dúvida, "uma sociedade sem mães seria uma sociedade desumana, porque as mães sabem testemunhar sempre, mesmo nos piores momentos, a ternura, a dedicação, a força moral. As mães transmitem, muitas vezes, também o sentido mais profundo da prática religiosa: nas primeiras orações, nos primeiros gestos de devoção que uma criança aprende (…). Sem as mães, não somente não haveria novos fiéis, mas a fé perderia boa parte do seu calor simples e profundo. (…) Queridas mães,

---

[191] Cf. MD, n. 30-31.

[192] FRANCISCO, *Catequese* (7 de janeiro de 2015): *L'Osservatore Romano* (ed. semanal portuguesa de 8/01/2015), 12.

obrigado, obrigado por aquilo que sois na família e pelo que dais à Igreja e ao mundo".[193]

175. A mãe, que ampara o filho com a sua ternura e compaixão, ajuda a despertar nele a confiança, a experimentar que o mundo é um lugar bom que o acolhe, e isto permite desenvolver uma autoestima que favorece a capacidade de intimidade e a empatia. Por sua vez, a figura do pai ajuda a perceber os limites da realidade, caracterizando-se mais pela orientação, pela saída para o mundo mais amplo e rico de desafios, pelo convite a esforçar-se e lutar. Um pai com uma clara e feliz identidade masculina, que por sua vez combine no seu trato com a esposa o carinho e o acolhimento, é tão necessário como os cuidados maternos. Há funções e tarefas flexíveis, que se adaptam às circunstâncias concretas de cada família, mas a presença clara e bem definida das duas figuras, masculina e feminina, cria o âmbito mais adequado para o amadurecimento da criança.

176. Diz-se que a nossa sociedade é uma "sociedade sem pais". Na cultura ocidental, a figura do pai estaria simbolicamente ausente, distorcida, desvanecida. Até a virilidade pareceria posta em questão. Verificou-se uma compreensível confusão, já que, "em um primeiro momento, isto foi sentido como uma libertação:

---

[193] Idem.

libertação do pai-patrão, do pai como representante da lei que se impõe de fora, do pai como censor da felicidade dos filhos e impedimento à emancipação e à autonomia dos jovens. Por vezes, havia casas em que no passado reinava o autoritarismo, em certos casos até a prepotência".[194] Mas, "como acontece muitas vezes, passa-se de um extremo ao outro. O problema nos nossos dias não parece ser tanto a presença invasora do pai, mas sim a sua ausência, o fato de não estar presente. Por vezes o pai está tão concentrado em si mesmo e no próprio trabalho ou então nas próprias realizações individuais que até se esquece da família. E deixa as crianças e os jovens sozinhos".[195] A presença paterna e, consequentemente, a sua autoridade são afetadas também pelo tempo cada vez maior que se dedica aos meios de comunicação e à tecnologia da distração. Além disso, hoje, a autoridade é olhada com suspeita e os adultos são duramente postos em discussão. Eles próprios abandonam as certezas e, por isso, não dão orientações seguras e bem fundamentadas a seus filhos. Não é saudável que sejam invertidas as funções entre pais e filhos: prejudica o processo adequado de amadurecimento pelo qual as crianças precisam passar e

---

[194] FRANCISCO, *Catequese* (28 de janeiro de 2015): *L'Osservatore Romano* (ed. semanal portuguesa de 29/01/2015), 16.

[195] Idem.

nega-lhes um amor capaz de orientá-las e que as ajude a maturar.[196]

177. Deus coloca o pai na família, para que, com as características preciosas da sua masculinidade, "esteja próximo da esposa, para compartilhar tudo, alegrias e dores, dificuldades e esperanças. E esteja próximo dos filhos no seu crescimento: quando brincam e quando se aplicam, quando estão descontraídos e quando se sentem angustiados, quando se exprimem e quando permanecem calados, quando ousam e quando têm medo, quando dão um passo errado e quando voltam a encontrar o caminho; pai presente, sempre. Estar presente não significa ser controlador, porque os pais demasiado controladores aniquilam os filhos".[197] Alguns pais sentem-se inúteis ou desnecessários, mas a verdade é que "os filhos têm necessidade de encontrar um pai que os espera quando voltam dos seus fracassos. Farão de tudo para não o admitir, para não o revelar, mas precisam dele".[198] Não é bom que as crianças fiquem sem pais e, assim, deixem de ser criança antes do tempo.

---

[196] Cf. *Relatio Finalis* 2015, n. 28.

[197] FRANCISCO, *Catequese* (4 de fevereiro de 2015): *L'Osservatore Romano* (ed. semanal portuguesa de 05/02/2015), 16.

[198] Idem.

Fecundidade alargada

178. Aos que não podem ter filhos, lembramos que "o matrimônio não foi instituído só em ordem à procriação (…). E por isso, mesmo que faltem os filhos, tantas vezes ardentemente desejados, o matrimônio conserva o seu valor e indissolubilidade, como comunidade e comunhão de toda a vida".[199] Além disso, "a maternidade não é uma realidade exclusivamente biológica, mas expressa-se de diversas maneiras".[200]

179. A adoção é um caminho para realizar a maternidade e a paternidade de uma forma muito generosa, e desejo encorajar os que não podem ter filhos a alargar e abrir o seu amor conjugal para receber quem está privado de um ambiente familiar adequado. Nunca se arrependerão de ter sido generosos. Adotar é o ato de amor que oferece uma família a quem não a tem. É importante insistir para que a legislação possa facilitar o processo de adoção, sobretudo nos casos de filhos não desejados, evitando assim o aborto ou o abandono. Os que assumem o desafio de adotar e acolhem uma pessoa de maneira incondicional e gratuita, tornam-se mediação do amor de Deus que diz: "Ainda que a tua mãe chegasse a esquecer-te, Eu nunca te esqueceria" (cf. Is 49,15).

---

[199] GS, n. 50.
[200] DAp, n. 457.

180. "A escolha da adoção e do acolhimento expressa uma fecundidade particular da experiência conjugal, para além dos casos em que é dolorosamente marcada pela esterilidade (...). Diante daquelas situações em que o filho é pretendido custe o que custar, como direito da própria realização, a adoção e o acolhimento retamente entendidos indicam um aspecto importante da paternidade-maternidade e da filiação, enquanto ajudam a reconhecer que os filhos, tanto naturais como adotivos ou acolhidos, são diferentes de nós e é preciso acolhê-los, amá-los, cuidá-los, e não apenas pô-los ao mundo. O interesse predominante pela criança deveria inspirar sempre as decisões sobre a adoção e o acolhimento".[201] Por outro lado, "o tráfico de crianças entre países e continentes deve ser impedido com oportunas intervenções legais e controles por parte dos Estados".[202]

181. Convém lembrar-nos também de que a procriação e a adoção não são as únicas maneiras de viver a fecundidade do amor. Mesmo a família com muitos filhos é chamada a deixar a sua marca na sociedade onde está inserida, desenvolvendo outras formas de fecundidade que são uma espécie de extensão do amor que a sustenta. As famílias cristãs não esqueçam que

---

[201] *Relatio Finalis* 2015, n. 65.
[202] Idem.

"a fé não nos tira do mundo, mas insere-nos mais profundamente nele. (…) A cada um de nós cabe um papel especial na preparação da vinda do Reino de Deus".[203] A família não deve imaginar-se como um recinto fechado, procurando proteger-se da sociedade. Não fica à espera, mas sai de si mesma à procura de solidariedade. Assim transforma-se num lugar de integração da pessoa com a sociedade e em um ponto de união entre o público e o privado. Os cônjuges precisam adquirir consciência clara e convicta dos seus deveres sociais. Quando isto acontece, não diminui o carinho que os une; antes, enche-se de nova luz, como está expresso nos seguintes versos:

> "As tuas mãos são a minha carícia,
> o meu despertar diário
> amo-te porque tuas mãos
> trabalham pela justiça.
> Se te amo, é porque és
> o meu amor, o meu cúmplice e tudo
> e na rua, lado a lado,
> somos muito mais que dois".[204]

182. Nenhuma família pode ser fecunda, se se concebe como demasiado diferente ou "separada". Para

---

[203] FRANCISCO, *Discurso no encontro com as famílias*, em Manila (16 de janeiro de 2015): *AAS* 107 (2015), 178.

[204] MÁRIO BENEDETTI, "Te quiero", in *Poemas de otros* (Buenos Aires 1993), 316.

evitar este risco, lembremo-nos que a família de Jesus, cheia de graça e sabedoria, não era vista como uma família "estranha", como um lar alienado e distante das pessoas. Por isso mesmo, as pessoas sentiram dificuldade em reconhecer a sabedoria de Jesus e diziam: "De onde lhe vem isso? (…) Não é ele o carpinteiro, o filho de Maria?" (Mc 6,2.3). "Não é ele o filho do carpinteiro?" (Mt 13,55). Isto confirma que era uma família simples, próxima de todos, integrada normalmente na povoação. E Jesus também não cresceu em uma relação fechada e exclusiva com Maria e José, mas de bom grado movia-se na família alargada, onde encontrava os parentes e os amigos. Isto explica por que, quando regressavam de Jerusalém, os seus pais admitissem a possibilidade de o Menino de doze anos vagar pela caravana um dia inteiro, ouvindo as histórias e partilhando as preocupações de todos: "Pensando que se encontrava na caravana, caminharam um dia inteiro" (Lc 2,44). Mas, às vezes, acontece que algumas famílias cristãs, pela linguagem que usam, a maneira de dizer as coisas, o estilo do seu tratamento, a repetição constante de dois ou três assuntos, são vistas como distantes, separadas da sociedade, e até os próprios parentes se sentem desprezados ou julgados por elas.

183. Um casal de esposos, que experimenta a força do amor, sabe que este amor é chamado a sarar as feridas dos abandonados, estabelecer a cultura do

encontro, lutar pela justiça. Deus confiou à família o projeto de tornar "doméstico" o mundo,[205] de modo que todos cheguem a sentir cada ser humano como um irmão: "Um olhar atento à vida cotidiana dos homens e das mulheres de hoje demonstra imediatamente a necessidade que há, em toda a parte, de uma vigorosa injeção de espírito familiar. (…) Não só a organização da vida comum encalha cada vez mais em uma burocracia totalmente alheia aos vínculos humanos fundamentais, mas até o costume social e político mostra frequentemente sinais de degradação".[206] Pelo contrário, as famílias magnânimas e solidárias abrem espaço aos pobres, são capazes de tecer uma amizade com os que vivem em piores condições do que elas. Se realmente têm como objetivo de vida o Evangelho, não podem esquecer o que diz Jesus: "Todas as vezes que fizestes isso a um destes mais pequenos, que são meus irmãos, foi a mim que o fizestes" (Mt 25,40). Em última análise, vivem o que nos é pedido, de forma tão eloquente, neste texto: "Quando ofereceres um almoço ou um jantar, não convides teus amigos, nem teus irmãos, nem teus parentes, nem teus vizinhos ricos. Pois estes pode te convidar por sua vez, e isto já será a tua recompensa. Pelo contrário, quando

---

[205] Cf. FRANCISCO, *Catequese* (16 de setembro de 2015): *L'Osservatore Romano* (ed. semanal portuguesa de 17/09/2015), 20.

[206] FRANCISCO, *Catequese* (7 de outubro de 2015): *L'Osservatore Romano* (ed. semanal portuguesa de 08/10/2015), 24.

deres um banquete, convida os pobres, os aleijados, os coxos, os cegos! Então serás feliz" (Lc 14,12-14). Serás feliz! Aqui está o segredo de uma família feliz.

184. Com o testemunho e também com a palavra, as famílias falam de Jesus aos outros, transmitem a fé, despertam o desejo de Deus e mostram a beleza do Evangelho e do estilo de vida que nos propõe. Assim os esposos cristãos pintam o cinzento do espaço público, colorindo-o de fraternidade, sensibilidade social, defesa das pessoas frágeis, fé luminosa, esperança ativa. A sua fecundidade alarga-se, traduzindo-se em mil e uma maneiras de tornar o amor de Deus presente na sociedade.

Distinguir o Corpo

185. Nesta linha, convém levar muito a sério um texto bíblico que habitualmente é interpretado fora do seu contexto ou de uma maneira muito geral, pelo que é possível negligenciar o seu sentido mais imediato e direto, que é marcadamente social. Trata-se da primeira Carta aos Coríntios (11,17-34), na qual São Paulo enfrenta uma situação vergonhosa da comunidade. Nela, algumas pessoas ricas tendiam a discriminar os pobres, e isto verificava-se mesmo no ágape que acompanhava a celebração da Eucaristia. Enquanto os ricos se deleitavam com seus manjares, os pobres olhavam e passavam fome: "Enquanto um passa fome, outro se embriaga. Não tendes casas para comer e beber? Ou desprezais a

Igreja de Deus e quereis envergonhar aqueles que nada têm?" (v. 21-22).

186. A Eucaristia exige a integração no único corpo eclesial. Quem se aproxima do Corpo e do Sangue de Cristo não pode ao mesmo tempo ofender aquele mesmo Corpo, fazendo divisões e discriminações escandalosas entre os seus membros. Na realidade, trata-se de "distinguir" o Corpo do Senhor, de reconhecê-lo com fé e caridade, quer nos sinais sacramentais, quer na comunidade; caso contrário, come-se e bebe-se a própria condenação (cf. v. 29). Este texto bíblico é um sério aviso para as famílias que se fecham na própria comodidade e se isolam e, de modo especial, para as famílias que ficam indiferentes aos sofrimentos das famílias pobres e mais necessitadas. Assim, a celebração eucarística torna-se um apelo constante a cada um para que "examine-se cada um a si mesmo" (v. 28), a fim de abrir as portas da própria família a uma maior comunhão com os descartados da sociedade e depois, sim, receber o sacramento do amor eucarístico que faz de nós um só corpo. Não se deve esquecer que "a 'mística' do sacramento tem um caráter social".[207] Quando os comungantes se mostram relutantes em deixar-se impelir a um compromisso a favor dos pobres e atribulados ou consentem diferentes formas de

---

[207] DCE, n. 14.

divisão, desprezo e injustiça, recebem indignamente a Eucaristia. Ao contrário, as famílias, que se alimentam da Eucaristia com a disposição adequada, reforçam o seu desejo de fraternidade, o seu sentido social e o seu compromisso para com os necessitados.

A vida na família em sentido amplo

187. O núcleo familiar restrito não deveria isolar-se da família alargada, onde estão os pais, os tios, os primos e até os vizinhos. Nesta família ampla, pode haver pessoas necessitadas de ajuda, ou pelo menos de companhia e gestos de carinho, ou pode haver grandes sofrimentos que precisam de conforto.[208] Às vezes o individualismo destes tempos leva a fechar-se na segurança de um pequeno ninho e a sentir os outros como um incômodo. Todavia, este isolamento não proporciona mais paz e felicidade, antes fecha o coração da família e priva-a do horizonte amplo da existência.

Ser filho

188. Em primeiro lugar, falemos dos pais próprios. Jesus lembrava aos fariseus que o abandono dos pais é contrário à Lei de Deus (cf. Mc 7,8-13). Não faz bem a ninguém perder a consciência de ser filho. Em cada pessoa, "mesmo quando se torna adulta ou idosa,

---

[208] Cf. *Relatio Finalis* 2015, n. 11.

quando passa também a ser progenitora ou desempenha funções de responsabilidade, por baixo de tudo isso permanece a identidade de filho. Todos somos filhos. E isto recorda-nos sempre que a vida não no-la demos sozinhos, mas recebemo-la. O grande dom da vida é o primeiro presente que recebemos".[209]

189. Por isso, "o quarto mandamento pede aos filhos (…) que honrem o pai e a mãe (cf. Ex 20,12). Este mandamento vem logo após aqueles que dizem respeito ao próprio Deus. Com efeito, contém algo de sagrado, algo de divino, algo que está na raiz de todos os outros tipos de respeito entre os homens. E, na formulação bíblica do quarto mandamento, acrescenta-se: 'para que se prolonguem os teus dias sobre a terra que o Senhor, teu Deus, te dá'. O vínculo virtuoso entre as gerações é garantia de futuro e de uma história verdadeiramente humana. Uma sociedade de filhos que não honram os pais é uma sociedade sem honra (…). É uma sociedade destinada a encher-se de jovens áridos e ávidos".[210]

190. Mas há também a outra face da moeda: "deixará o homem o pai e a mãe" (Gn 2,24), diz a Palavra de Deus. Às vezes, isto não é cumprido, nunca se chegando a assumir o matrimônio, porque falta

---

[209] FRANCISCO, *Catequese* (18 de março de 2015): *L'Osservatore Romano* (ed. semanal portuguesa de 19/03/2015), 20.

[210] FRANCISCO, *Catequese* (11 de fevereiro de 2015): *L'Osservatore Romano* (ed. semanal portuguesa de 12/02/2015), 16.

esta renúncia e esta dedicação. Os pais não devem ser abandonados nem transcurados, mas, para unir-se em matrimônio, é preciso deixá-los, de modo que o novo lar seja a morada, a proteção, a plataforma e o projeto, e seja possível tornar-se verdadeiramente "uma só carne" (Gn 2,24). Acontece, em alguns casais, ocultar ao próprio cônjuge muitas coisas, que, entretanto, se dizem aos pais, chegando ao ponto de se importar mais com as opiniões destes do que com os sentimentos e as opiniões do cônjuge. Não é fácil manter esta situação por muito tempo, e só provisoriamente poderia ter lugar, isto é, enquanto se criam as condições para crescer na confiança e no diálogo. O matrimônio desafia a encontrar uma nova maneira de ser filho.

Os idosos

191. "Não me rejeites no tempo da velhice, não me abandones quando diminuem minhas forças" (Sl 71/70,9). É o brado do idoso, que teme o esquecimento e o desprezo. Assim como Deus nos convida a sermos seus instrumentos para escutar a súplica dos pobres, assim também espera que ouçamos o brado dos idosos.[211] Isto interpela as famílias e as comunidades, porque "a Igreja não pode nem quer conformar-se com uma mentalidade de impaciência, e muito menos de indiferença e desprezo, em relação à velhice. Devemos despertar o

---

[211] Cf. *Relatio Finalis* 2015, n. 17-18.

sentido coletivo de gratidão, apreço, hospitalidade, que faça o idoso sentir-se parte viva da sua comunidade. Os idosos são homens e mulheres, pais e mães que, antes de nós, percorreram o nosso próprio caminho, estiveram na nossa mesma casa, combateram a nossa mesma batalha diária por uma vida digna".[212] Por isso, "como gostaria de uma Igreja que desafia a cultura do descarte com a alegria transbordante de um novo abraço entre jovens e idosos!".[213]

192. São João Paulo II convidou-nos a prestar atenção ao lugar do idoso na família, porque há culturas que, "especialmente depois de um desenvolvimento industrial e urbanístico desordenado, forçaram, e continuam a forçar, os idosos a situações inaceitáveis de marginalização".[214] Os idosos ajudam a perceber "a continuidade das gerações", com "o carisma de lançar uma ponte"[215] entre elas. Muitas vezes são os avós que asseguram a transmissão dos grandes valores aos seus netos, e "muitas pessoas podem constatar que devem

---

[212] FRANCISCO, *Catequese* (4 de março de 2015): *L'Osservatore Romano* (ed. semanal portuguesa de 05/03/2015), 16.

[213] FRANCISCO, *Catequese* (11 de março de 2015): *L'Osservatore Romano* (ed. semanal portuguesa de 12/03/2015), 16.

[214] FC, n. 27.

[215] FRANCISCO, *Discurso aos participantes no "Fórum Internacional sobre o Envelhecimento Activo"* (5 de setembro de 1980), 5: *Insegnamenti* 3/2 (1980), 539; *L'Osservatore Romano* (ed. semanal portuguesa de 21/09/1980), 14.

precisamente aos avós a sua iniciação à vida cristã".[216] As suas palavras, as suas carícias ou a simples presença ajudam as crianças a reconhecer que a história não começa com elas, que são herdeiras de um longo caminho e que é necessário respeitar o fundamento que as precede. Quem quebra os laços com a história terá dificuldade em tecer relações estáveis e reconhecer que não é o dono da realidade. Com efeito, "a atenção aos idosos distingue uma civilização. Em uma civilização, presta-se atenção ao idoso? Há lugar para o idoso? Esta civilização irá em frente, se souber respeitar a sabedoria dos idosos".[217]

193. A falta de memória histórica é um defeito grave da nossa sociedade. É a mentalidade imatura do "já está ultrapassado". Conhecer e ser capaz de tomar posição perante os acontecimentos passados é a única possibilidade de construir um futuro que tenha sentido. Não se pode educar sem memória: "Lembrai-vos dos primeiros dias" (Hb 10,32). As histórias dos idosos fazem muito bem às crianças e aos jovens, porque os ligam à história vivida tanto pela família como pela vizinhança e o país. Uma família que não respeita nem cuida de seus avós, que são a sua memória viva, é uma família desintegrada; mas uma família que recorda é

---

[216] *Relatio Finalis* 2015, n. 18.
[217] FRANCISCO, *Catequese* (4 de março de 2015): *L'Osservatore Romano* (ed. semanal portuguesa de 05/03/2015), 16.

uma família com futuro. Por isso, "em uma civilização em que não há espaço para os idosos ou onde eles são descartados porque criam problemas, tal sociedade traz em si o vírus da morte",[218] porque "se separa das próprias raízes".[219] O fenômeno contemporâneo de sentir-se órfão, em termos de descontinuidade, desenraizamento e perda das certezas que dão forma à vida, desafia-nos a fazer das nossas famílias um lugar onde as crianças possam lançar raízes no terreno de uma história coletiva.

Ser irmão

194. A relação entre os irmãos aprofunda-se com o passar do tempo, e "o laço de fraternidade que se forma na família entre os filhos, quando se verifica em um clima de educação para a abertura aos outros, é uma grande escola de liberdade e de paz. Em família, entre irmãos, aprendemos a convivência humana (…). Talvez nem sempre estejamos conscientes disto, mas é precisamente a família que introduz a fraternidade no mundo. A partir desta primeira experiência de fraternidade, alimentada pelos afetos e pela educação familiar,

---

[218] Idem.

[219] FRANCISCO, *Discurso no Encontro com os Idosos* (28 de setembro de 2014): *L'Osservatore Romano* (ed. semanal portuguesa de 02/10/2014), 8.

o estilo da fraternidade irradia-se como uma promessa sobre a sociedade inteira".[220]

195. Crescer entre irmãos proporciona a bela experiência de cuidar uns dos outros, de ajudar e ser ajudado. Por isso, "a fraternidade na família resplandece de modo especial quando vemos a solicitude, a paciência e o carinho com que é circundado o irmãozinho ou a irmãzinha mais frágil, doente ou deficiente".[221] Faz falta reconhecer que "ter um irmão, uma irmã que te ama é uma experiência forte, inestimável, insubstituível",[222] mas é preciso ensinar, com paciência, os filhos a tratarem-se como irmãos. Esse aprendizado, por vezes fadigoso, é uma verdadeira escola de sociabilidade. Em alguns países, existe uma forte tendência para ter apenas um filho, pelo que a experiência de ser irmão começa a ser rara. Nos casos em que não se pôde ter mais de um filho, é preciso encontrar formas de a criança não crescer sozinha ou isolada.

Um coração grande

196. Com efeito, além do círculo pequeno formado pelos cônjuges e seus filhos, temos a família alargada, que não pode ser ignorada. Com efeito, "o

---

[220] FRANCISCO, *Catequese* (18 de fevereiro de 2015): *L'Osservatore Romano* (ed. semanal portuguesa de 19/02/2015), 20.

[221] Idem.

[222] Idem.

amor entre o homem e a mulher no matrimônio e, de forma derivada e ampla, o amor entre os membros da mesma família – entre pais e filhos, entre irmãos e irmãs, entre parentes e familiares – é animado e impelido por um dinamismo interior e incessante, que leva a família a uma comunhão sempre mais profunda e intensa, fundamento e alma da comunidade conjugal e familiar".[223] Aí se integram também os amigos e as famílias amigas, e mesmo as comunidades de famílias que se apoiam mutuamente nas suas dificuldades, no seu compromisso social e na fé.

197. Esta família alargada deveria acolher, com tanto amor, as mães solteiras, as crianças sem pais, as mulheres abandonadas que devem continuar a educação dos seus filhos, as pessoas deficientes que requerem muito carinho e proximidade, os jovens que lutam contra uma dependência, as pessoas solteiras, separadas ou viúvas que sofrem a solidão, os idosos e os doentes que não recebem o apoio dos seus filhos, até incluir no seio dela "mesmo os mais desastrados nos comportamentos da sua vida".[224] E pode também ajudar a compensar as fragilidades dos pais, ou a descobrir e denunciar a tempo possíveis situações de violência ou mesmo de abuso sofridas pelas crianças, dando-lhes um amor

---

[223] FC, n. 18.
[224] FRANCISCO, *Catequese* (7 de outubro de 2015): *L'Osservatore Romano* (ed. semanal portuguesa de 08/10/2015), 24.

sadio e um sustentáculo familiar, quando os seus pais não o podem assegurar.

198. Por fim, não se pode esquecer que, nesta família alargada, estão também o sogro, a sogra e todos os parentes do cônjuge. Uma delicadeza própria do amor é evitar vê-los como concorrentes, como pessoas perigosas, como invasores. A união conjugal exige que se respeite as suas tradições e costumes, se procure compreender a sua linguagem, evitar maledicências, cuidar deles e integrá-los de alguma forma no próprio coração, embora se deva preservar a legítima autonomia e a intimidade do casal. Estas atitudes são também uma excelente maneira de exprimir a generosidade da dedicação amorosa ao próprio cônjuge.

Capítulo VI

ALGUMAS PERSPECTIVAS PASTORAIS

199. Os debates do caminho sinodal mostraram a necessidade de desenvolver novos caminhos pastorais, que procurarei agora resumir em geral. As diferentes comunidades é que deverão elaborar propostas mais práticas e eficazes, que levem em conta tanto a doutrina da Igreja como as necessidades e desafios locais. Sem pretender apresentar aqui uma pastoral da família, limitar-me-ei a coligir alguns dos principais desafios pastorais.

Anunciar hoje o Evangelho da família

200. Os Padres sinodais insistiram no fato de que as famílias cristãs são, pela graça do sacramento nupcial, os sujeitos principais da pastoral familiar, sobretudo oferecendo "o testemunho jubiloso dos cônjuges e das famílias, igrejas domésticas".[225] Para isso – sublinharam – é preciso fazer-lhes "experimentar que

---

[225] *Relatio Synodi* 2014, n. 30.

o Evangelho da família é alegria que 'enche o coração e a vida inteira', porque, em Cristo, somos 'libertados do pecado, da tristeza, do vazio interior, do isolamento' (EG, n. 1). À luz da parábola do semeador (cf. Mt 13,3-9), a nossa tarefa consiste em cooperar na sementeira: o resto é obra de Deus. E não se deve esquecer também que a Igreja, que prega sobre a família, é sinal de contradição",[226] mas os esposos agradecem que os pastores lhes ofereçam motivações para uma aposta corajosa em um amor forte, sólido, duradouro, capaz de enfrentar todos os imprevistos que lhes surjam. É com humilde compreensão que a Igreja quer chegar às famílias, com o desejo de "acompanhar cada uma e todas as famílias, a fim de que descubram a melhor maneira para superar as dificuldades que encontram no seu caminho".[227] Não basta inserir uma genérica preocupação pela família nos grandes projetos pastorais; para que as famílias possam ser sujeitos cada vez mais ativos da pastoral familiar, requer-se "um esforço evangelizador e catequético orientado para o núcleo da família",[228] que a encaminhe nesta direção.

201. "Por isso exige-se a toda a Igreja uma conversão missionária: é preciso não se contentar com um

---

[226] Ibidem, n. 31.
[227] *Relatio Finalis* 2015, n. 56.
[228] Ibidem, n. 89.

anúncio puramente teórico e desligado dos problemas reais das pessoas".[229] A pastoral familiar "deve fazer experimentar que o Evangelho da família é resposta às expectativas mais profundas da pessoa humana: a sua dignidade e plena realização na reciprocidade, na comunhão e na fecundidade. Não se trata apenas de apresentar uma normativa, mas de propor valores, correspondendo à necessidade deles que se constata hoje, mesmo nos países mais secularizados".[230] De igual modo "sublinhou-se a necessidade de uma evangelização que denuncie, com desassombro, os condicionalismos culturais, sociais, políticos e econômicos, bem como o espaço excessivo dado à lógica do mercado, que impedem uma vida familiar autêntica, gerando discriminação, pobreza, exclusão e violência. Para isso, temos de entrar em diálogo e cooperação com as estruturas sociais, bem como encorajar e apoiar os leigos que se comprometem, como cristãos, no âmbito cultural e sociopolítico".[231]

202. "A principal contribuição pastoral familiar é oferecida pela paróquia, que é família de famílias, onde se harmonizam as contribuições de pequenas comunidades, movimentos e associações eclesiais".[232] A par de

---

[229] *Relatio Synodi* 2014, n. 32.
[230] Ibidem, n. 33.
[231] Ibidem, n. 38.
[232] *Relatio Finalis* 2015, n. 77.

uma pastoral especificamente voltada para as famílias, há necessidade de uma "formação mais adequada dos presbíteros, dos diáconos, dos religiosos e das religiosas, dos(as) catequistas e dos demais agentes no campo da pastoral".[233] Nas respostas às consultas promovidas em todo o mundo, ressaltou-se que os ministros ordenados carecem, habitualmente, de formação adequada para tratar dos complexos problemas atuais das famílias; para isso, pode ser útil também a experiência da longa tradição oriental dos sacerdotes casados.

203. Os seminaristas deveriam ter acesso a uma formação interdisciplinar mais ampla sobre namoro e matrimônio, não se limitando à Doutrina. Além disso, a formação nem sempre lhes permite desenvolver o seu mundo psicoafetivo. Alguns carregam, na sua vida, a experiência da sua própria família ferida, com a ausência de pais e instabilidade emocional. É preciso garantir um amadurecimento, durante a formação, para que os futuros ministros possuam o equilíbrio psíquico que a sua missão lhes exige. Os laços familiares são fundamentais para fortificar a autoestima sadia dos seminaristas. Por isso, é importante que as famílias acompanhem todo o processo do Seminário e do sacerdócio, pois ajudam a revigorá-lo de forma realista. Neste sentido, é salutar a combinação de tempos de vida no Seminário com

---

[233] Ibidem, n. 61.

outros de vida em paróquias, que permitam tomar maior contato com a realidade concreta das famílias. De fato, ao longo da sua vida pastoral, o sacerdote encontra-se sobretudo com famílias. "A presença dos leigos e das famílias, em particular a presença feminina, na formação sacerdotal, favorece o apreço pela variedade e complementaridade das diversas vocações na Igreja".[234]

204. As respostas às consultas exprimem, com insistência, também a necessidade de formar agentes leigos de pastoral familiar, com a ajuda de psicopedagogos, médicos de família, médicos de comunidade, assistentes sociais, advogados de menores e família, predispondo-os para receber as contribuições da psicologia, sociologia, sexologia e até aconselhamento. Os profissionais, particularmente aqueles que têm experiência de acompanhamento, ajudam a encarnar as propostas pastorais nas situações reais e nas preocupações concretas das famílias. Os "itinerários e cursos de formação destinados especificamente aos agentes pastorais poderão torná-los aptos para inserir o mesmo caminho de preparação para o matrimônio na mais ampla dinâmica da vida eclesial".[235] Uma boa preparação pastoral é importante, sobretudo "em vista das particulares situações de emergência, determinadas

---

[234] Idem.

[235] Idem.

pelos casos de violência doméstica e de abuso sexual".[236] Tudo isto em nada diminui, antes integra, o valor fundamental da direção espiritual, dos recursos espirituais inestimáveis da Igreja e da Reconciliação sacramental.

Guiar os noivos no caminho de preparação para o matrimônio

205. Os Padres sinodais afirmaram, de várias maneiras, que é preciso ajudar os jovens a descobrir o valor e a riqueza do matrimônio.[237] Devem poder captar o fascínio de uma união plena que eleva e aperfeiçoa a dimensão social da vida, confere à sexualidade o seu sentido maior, ao mesmo tempo que promove o bem dos filhos e lhes proporciona o melhor contexto para o seu amadurecimento e educação.

206. "A complexa realidade social e os desafios, que a família é chamada a enfrentar atualmente, exigem um empenhamento maior de toda a comunidade cristã na preparação dos noivos para o matrimônio. É necessário lembrar a importância das virtudes. Dentre elas, resulta ser condição preciosa para o crescimento genuíno do amor interpessoal a castidade. A respeito desta necessidade, os Padres sinodais foram concordes

---

[236] Idem.
[237] Cf. *Relatio Synodi* 2014, n. 26.

em sublinhar a exigência de um maior envolvimento de toda a comunidade, privilegiando o testemunho das próprias famílias, e a exigência ainda de uma radicação da preparação para o matrimônio no caminho da iniciação cristã, sublinhando o nexo do matrimônio com o batismo e os outros sacramentos. Da mesma forma, evidenciou-se a necessidade de programas específicos de preparação próxima para o matrimônio que sejam verdadeira experiência de participação na vida eclesial e aprofundem os vários aspectos da vida familiar".[238]

207. Convido as comunidades cristãs a reconhecerem que é um bem para elas mesmas acompanhar o caminho de amor dos noivos. Como justamente disseram os bispos da Itália, aqueles que se casam são, para as comunidades cristãs, "um recurso precioso, porque, esforçando-se sinceramente por crescer no amor e no dom recíproco, podem contribuir para renovar o próprio tecido de todo o corpo eclesial: a forma particular de amizade que vivem pode tornar-se contagiosa, fazendo crescer na amizade e na fraternidade a comunidade cristã de que fazem parte".[239] Há várias maneiras legítimas de organizar a preparação próxima para o matrimônio e cada Igreja local discernirá a que for melhor,

---

[238] Ibidem, n. 39.

[239] Conferência Episcopal Italiana. Comissão episcopal para a família e a vida, *Orientamenti pastorali sulla preparazione al matrimonio e alla famiglia* (22 de outubro de 2012), 1.

procurando uma formação adequada que, ao mesmo tempo, não afaste os jovens do sacramento. Não se trata de lhes ministrar o Catecismo inteiro nem de os saturar com demasiados temas, sendo válido também aqui que "não é o muito saber que enche e satisfaz a alma, mas o sentir e saborear interiormente as coisas".[240] Interessa mais a qualidade do que a quantidade, devendo-se dar prioridade – juntamente com um renovado anúncio do querigma – àqueles conteúdos que, comunicados de forma atraente e cordial, os ajudem a comprometer-se em um percurso da vida toda "com ânimo grande e liberalidade".[241] Trata-se de uma espécie de "iniciação" ao sacramento do matrimônio, que lhes forneça os elementos necessários para poderem recebê-lo com as melhores disposições e iniciar com uma certa solidez a vida familiar.

208. Além disso, convém encontrar os modos – através das famílias missionárias, das próprias famílias dos noivos e de vários recursos pastorais – para oferecer uma preparação remota que faça amadurecer o amor deles com um acompanhamento rico de proximidade e testemunho. Habitualmente, são muito úteis os grupos de noivos e a oferta de palestras opcionais sobre uma variedade de temas que realmente interessam aos

---

[240] INÁCIO DE LOYOLA, *Exercícios espirituais*, anotação 2.

[241] Ibidem, anotação 5.

jovens. Entretanto, são indispensáveis alguns momentos personalizados, dado que o objetivo principal é ajudar cada um a aprender a amar esta pessoa concreta com quem pretende partilhar a vida inteira. Aprender a amar alguém não é algo que se improvisa, nem pode ser o objetivo de um breve curso antes da celebração do matrimônio. Na realidade, cada pessoa prepara-se para o matrimônio, desde o seu nascimento. Tudo o que a família lhe deu, deveria permitir-lhe aprender da própria história e torná-la capaz de um compromisso pleno e definitivo. Provavelmente os que chegam mais bem preparados ao casamento são aqueles que aprenderam dos seus próprios pais o que é um matrimônio cristão, onde se escolheram um ao outro sem condições e continuam a renovar esta decisão. Neste sentido todas as atividades pastorais, que tendem a ajudar os cônjuges a crescer no amor e a viver o Evangelho na família, são uma ajuda inestimável a fim de que os seus filhos se preparem para a sua futura vida matrimonial. Também não devemos esquecer os valiosos recursos da pastoral popular. Só para dar um exemplo simples, lembro o Dia de São Valentim, que, em alguns países, é mais bem aproveitado pelos comerciantes do que pela criatividade dos pastores.

209. A preparação dos que já formalizaram o noivado, quando a comunidade paroquial consegue acompanhá-los com bom período de antecipação,

deve dar-lhes também a possibilidade de individuar incompatibilidades e riscos. Assim é possível chegarem a dar-se conta de que não é razoável apostar naquela relação, para não se expor a um previsível fracasso que terá consequências muito dolorosas. O problema é que o deslumbramento inicial leva a procurar esconder ou relativizar muitas coisas, evitam-se as divergências, limitando-se assim a adiar as dificuldades para depois. Os noivos deveriam ser incentivados e ajudados a poderem expressar o que cada um espera de um eventual matrimônio, a sua maneira de entender o que é o amor e o compromisso, o que se deseja do outro, o tipo de vida em comum que se quer projetar. Estes diálogos podem ajudar a ver que, na realidade, os pontos de contato são escassos e que a mera atração mútua não será suficiente para sustentar a união. Não há nada de mais volúvel, precário e imprevisível que o desejo, e nunca se deve encorajar uma decisão de contrair matrimônio se não se aprofundaram outras motivações que confiram a este pacto reais possibilidades de estabilidade.

210. No caso de se reconhecer com clareza os pontos fracos do outro, é preciso que exista uma efetiva confiança na possibilidade de ajudá-lo a desenvolver o melhor da sua personalidade para contrabalançar o peso das suas fragilidades, com um decidido interesse em promovê-lo como ser humano. Isto implica aceitar com vontade firme a possibilidade de enfrentar algumas

renúncias, momentos difíceis e situações de conflito, e a sólida decisão de preparar-se para isso. Deve ser possível detectar os sinais de perigo que poderá apresentar a relação, para se encontrar, antes do matrimônio, os meios que permitam enfrentá-los com bom êxito. Infelizmente, muitos chegam às núpcias sem se conhecer. Limitaram-se a divertir-se juntos, a fazer experiências juntos, mas não enfrentaram o desafio de se manifestar a si mesmos e apreender quem é realmente o outro.

211. Tanto a preparação próxima como o acompanhamento mais prolongado devem procurar que os noivos não considerem o matrimônio como o fim do caminho, mas o assumam como uma vocação que os lança para diante, com a decisão firme e realista de atravessarem juntos todas as provações e momentos difíceis. Tanto a pastoral pré-matrimonial como a matrimonial devem ser, antes de tudo, uma pastoral do vínculo, na qual se ofereçam elementos que ajudem quer a amadurecer o amor, quer a superar os momentos duros. Estas contribuições não são apenas convicções doutrinais, nem se podem reduzir aos preciosos recursos espirituais que a Igreja sempre oferece, mas devem ser também percursos práticos, conselhos bem encarnados, estratégias tomadas a partir da experiência e das orientações psicológicas. Tudo isto cria uma pedagogia do amor, que não pode ignorar a sensibilidade atual dos jovens, para conseguir mobilizá-los interiormente.

Ao mesmo tempo, na preparação dos noivos, deve ser possível indicar-lhes lugares e pessoas, consultórios ou famílias prontas a ajudar, aonde poderão dirigir-se em busca de ajuda se surgirem dificuldades. Mas nunca se deve esquecer de lhes propor a Reconciliação sacramental, que permite colocar os pecados e os erros da vida passada e da própria relação sob o influxo do perdão misericordioso de Deus e da sua força sanadora.

A *preparação da celebração*

212. A preparação próxima do matrimônio tende a concentrar-se nos convites, na roupa, na festa com os seus inumeráveis detalhes que consomem tanto os recursos econômicos como as energias e a alegria. Os noivos chegam desfalecidos e exaustos ao casamento, em vez de dedicarem o melhor das suas forças a preparar-se como casal para o grande passo que, juntos, vão dar. Esta mesma mentalidade subjaz também à decisão de algumas uniões de fato que nunca mais chegam ao matrimônio, porque pensam nas elevadas despesas da festa, em vez de darem prioridade ao amor mútuo e à sua formalização diante dos outros. Queridos noivos, tende a coragem de ser diferentes, não vos deixeis devorar pela sociedade do consumo e da aparência. O que importa é o amor que vos une, fortalecido e santificado pela graça. Vós sois capazes de optar por uma festa austera e simples, para colocar o amor acima de tudo. Os agentes

pastorais e toda a comunidade podem ajudar para que esta prioridade se torne a norma e não a exceção.

213. Na preparação mais imediata, é importante esclarecer os noivos para viverem com grande profundidade a celebração litúrgica, ajudando-os a compreender e viver o significado de cada gesto. Lembremo-nos de que um compromisso tão grande como este expresso no consentimento matrimonial e a união dos corpos que consuma o matrimônio, quando se trata de dois batizados, só podem ser interpretados como sinais do amor do Filho de Deus feito carne e unido com a sua Igreja em aliança de amor. Nos batizados, as palavras e os gestos transformam-se em uma linguagem que manifesta a fé. O corpo, com os significados que Deus lhe quis infundir ao criá-lo, "transforma-se na linguagem dos ministros do sacramento, conscientes de que, no pacto conjugal, se manifesta e realiza o mistério".[242]

214. Às vezes, os noivos não percebem o peso teológico e espiritual do consentimento, que ilumina o significado de todos os gestos sucessivos. É necessário salientar que as palavras não podem ser reduzidas ao presente; implicam uma totalidade que inclui o futuro: "até que a morte vos separe". O sentido do

---

[242] JOÃO PAULO II, *Catequese* (27 de junho de 1984), 4: *Insegnamenti* 7/1 (1984), 1941; *L'Osservatore Romano* (ed. semanal portuguesa de 1º/07/1984), 12.

consentimento mostra que "liberdade e fidelidade não se opõem uma à outra, aliás apoiam-se reciprocamente quer nas relações interpessoais, quer nas sociais. De fato, pensemos nos danos que produzem, na civilização da comunicação global, o aumento de promessas não mantidas (…). A honra à palavra dada, a fidelidade à promessa não se podem comprar nem vender. Não podem ser impostas com a força, nem guardadas sem sacrifício".[243]

215. Os bispos do Quênia fizeram notar que "os futuros esposos, muito concentrados com o dia do casamento, esquecem-se de que estão preparando-se para um compromisso que dura a vida inteira".[244] Temos de ajudá-los a darem-se conta de que o sacramento não é apenas um momento que depois passa a fazer parte do passado e das recordações, mas exerce a sua influência sobre toda a vida matrimonial, de maneira permanente.[245] O significado procriador da sexualidade, a linguagem do corpo e os gestos de amor vividos na história de um casal de esposos transformam-se em

---

[243] FRANCISCO, *Catequese* (21 de outubro de 2015): *L'Osservatore Romano* (ed. semanal portuguesa de 22/10/2015), 16.

[244] Conferência Episcopal do Quênia, *Mensagem de Quaresma* (18 de fevereiro de 2015).

[245] Cf. PIO XI, Carta encíclica *Casti connubii* (31 de dezembro de 1930): *AAS* 22 (1930), 583.

uma "continuidade ininterrupta da linguagem litúrgica" e "a vida conjugal torna-se de algum modo liturgia".²⁴⁶

216. Também se pode meditar com as leituras bíblicas e enriquecer a compreensão do significado das alianças que trocam entre si, ou de outros sinais que fazem parte do rito. Mas não seria bom chegarem ao matrimônio sem ter rezado juntos, um pelo outro, pedindo ajuda a Deus para serem fiéis e generosos, perguntando juntos a Deus que espera deles, e inclusive consagrando o seu amor diante de uma imagem de Maria. Quem os acompanha na preparação do matrimônio deveria orientá-los para que saibam viver estes momentos de oração, que lhes podem fazer muito bem. "A liturgia nupcial é um acontecimento singular, que se vive no contexto familiar e social de uma festa. O primeiro dos sinais de Jesus teve lugar no banquete das bodas de Caná: o vinho bom do milagre do Senhor, que alegra o nascimento de uma nova família, é o vinho da Aliança de Cristo com os homens e as mulheres de todos os tempos. (…) Frequentemente, o celebrante tem a oportunidade de se dirigir a uma assembleia composta por pessoas que participam pouco na vida eclesial, ou pertencem a outras confissões cristãs ou comunidades

---

²⁴⁶ JOÃO PAULO II, *Catequese* (4 de julho de 1984), 3.6: *Insegnamenti* 7/2 (1984), 9.10; *L'Osservatore Romano* (ed. semanal portuguesa de 08/07/1984), 12.

religiosas. Trata-se de uma inestimável ocasião de anúncio do Evangelho de Cristo".[247]

Acompanhamento nos primeiros anos da vida matrimonial

217. Temos de reconhecer como um grande valor que se compreenda que o matrimônio é uma questão de amor: só se podem casar aqueles que se escolhem livremente e se amam. Apesar disso, se o amor se reduzir a mera atração ou a uma vaga afetividade, isto faz com que os cônjuges sofram de uma extraordinária fragilidade quando a afetividade entra em crise ou a atração física diminui. Uma vez que estas confusões são frequentes, torna-se indispensável o acompanhamento dos esposos nos primeiros anos de vida matrimonial, para enriquecer e aprofundar a decisão consciente e livre de se pertencerem e amarem até o fim. Muitas vezes o tempo de noivado não é suficiente, a decisão de casar-se apressa-se por várias razões e, como se não bastasse, atrasou o amadurecimento dos jovens. Assim os recém-casados têm de completar aquele percurso que deveria ter sido feito durante o noivado.

218. Por outro lado, quero insistir que um desafio da pastoral familiar é ajudar a descobrir que o

---

[247] *Relatio Finalis* 2015, n. 59.

matrimônio não se pode entender como algo acabado. A união é real, é irrevogável e foi confirmada e consagrada pelo sacramento do matrimônio; mas, ao unir-se, os esposos tornam-se protagonistas, senhores da sua própria história e criadores de um projeto que deve ser levado para a frente conjuntamente. O olhar volta-se para o futuro, que é preciso construir dia a dia com a graça de Deus e, por isso mesmo, não se pretende do cônjuge que seja perfeito. É preciso pôr de lado as ilusões e aceitá-lo como é: inacabado, chamado a crescer, em caminho. Quando o olhar sobre o cônjuge é constantemente crítico, isto indica que o matrimônio não foi assumido também como um projeto a construir juntos, com paciência, compreensão, tolerância e generosidade. Isto faz com que o amor seja substituído pouco a pouco por um olhar inquisidor e implacável, pelo controle dos méritos e direitos de cada um, pelas reclamações, a competição e a autodefesa. Deste modo tornam-se incapazes de se apoiarem um ao outro para o amadurecimento de ambos e para o crescimento da união. Aos novos cônjuges, é necessário apresentar isto com clareza realista desde o início, de modo que tomem consciência de que estão apenas começando. O "sim" que deram um ao outro é o início de um itinerário, cujo objetivo se propõe superar as circunstâncias que surgirem e os obstáculos que se interpuserem. A bênção recebida é uma graça e um impulso para este caminho sempre aberto. Habitualmente ajuda sentar-se a dialogar para elaborar o seu projeto concreto com os seus objetivos, meios, detalhes.

219. Lembro-me de um refrão que dizia que a água estagnada corrompe-se, estraga-se. O mesmo acontece com a vida do amor nos primeiros anos do matrimônio quando fica estagnada, cessa de mover-se, perde aquela inquietude sadia que a faz avançar. A dança conduzida com aquele amor jovem, a dança com aqueles olhos iluminados pela esperança, não deve parar. No noivado e nos primeiros anos de matrimônio, é a esperança que tem em si a força do fermento, que faz olhar para além das contradições, conflitos, contingências, que sempre faz ver mais além; é ela que põe em movimento a ânsia de se manter em um caminho de crescimento. A mesma esperança convida-nos a viver plenamente o presente, colocando o coração na vida familiar, porque a melhor forma de preparar e consolidar o futuro é viver bem o presente.

220. O caminho implica passar por diferentes etapas, que convidam a doar-se com generosidade: do impacto inicial caracterizado por uma atração decididamente sensível, passa-se à necessidade do outro sentido como parte da vida própria. Daqui passa-se ao gosto da pertença mútua, seguido pela compreensão da vida inteira como um projeto de ambos, pela capacidade de colocar a felicidade do outro acima das necessidades

próprias, e pela alegria de ver o próprio matrimônio como um bem para a sociedade. O amadurecimento do amor implica também aprender a "negociar". Não se trata de uma atitude interesseira nem de um jogo de tipo comercial, mas, em última análise, de um exercício do amor recíproco, já que esta negociação é um entrelaçado de recíprocas ofertas e renúncias para o bem da família. Em cada nova etapa da vida matrimonial, é preciso sentar-se e negociar novamente os acordos, de modo que não haja vencedores nem vencidos, mas ganhem ambos. No lar, as decisões não se tomam unilateralmente, e ambos compartilham a responsabilidade pela família; mas cada lar é único e cada síntese conjugal é diferente.

221. Uma das causas que leva a rupturas matrimoniais é ter expectativas demasiado altas sobre a vida conjugal. Quando se descobre a realidade mais limitada e problemática do que se sonhara, a solução não é pensar imediata e irresponsavelmente na separação, mas assumir o matrimônio como um caminho de amadurecimento, onde cada um dos cônjuges é um instrumento de Deus para fazer crescer o outro. É possível a mudança, o crescimento, o desenvolvimento das potencialidades boas que cada um traz dentro de si. Cada matrimônio é uma "história de salvação", o que supõe partir de uma fragilidade que, graças ao dom de Deus e a uma resposta criativa e generosa, pouco a pouco vai dando lugar a uma realidade cada vez mais sólida e preciosa.

Talvez a maior missão de um homem e de uma mulher no amor seja esta: a de se tornarem, um ao outro, mais homem e mais mulher. Fazer crescer é ajudar o outro a moldar-se na sua própria identidade. Por isso o amor é artesanal. Quando se lê a passagem da Bíblia sobre a criação do homem e da mulher, primeiro vê-se Deus que plasma o homem (cf. Gn 2,7), depois dá-Se conta de que falta alguma coisa essencial e plasma a mulher, e então vê a surpresa do homem: "Ah! Agora sim! Esta sim!" E, em seguida, quase nos parece ouvir aquele estupendo diálogo no qual o homem e a mulher fazem a mútua descoberta. Com efeito, mesmo nos momentos difíceis, o outro volta a surpreender e abrem-se novas portas para se reencontrar, como se fosse a primeira vez; e, em cada nova etapa, tornam a "plasmar-se" um ao outro. O amor faz com que um espere pelo outro, exercitando a paciência própria de artesão, que herdou de Deus.

222. O acompanhamento deve encorajar os esposos a serem generosos na comunicação da vida. "Em conformidade com o caráter pessoal e humanamente completo do amor conjugal, o caminho reto para a planificação familiar é o de um diálogo consensual entre os esposos, do respeito pelos tempos e da consideração da dignidade do parceiro. Neste sentido, a Encíclica *Humanae Vitae* (cf. n. 10-14) e a Exortação apostólica *Familiaris Consortio* (cf. n. 14; 28-35)

devem ser redescobertas, com a finalidade de despertar a disponibilidade a procriar, em contraste com uma mentalidade muitas vezes hostil à vida. (...) A escolha responsável da paternidade-maternidade pressupõe a formação da consciência, que é 'o centro mais secreto e o santuário do homem, no qual se encontra a sós com Deus, cuja voz se faz ouvir na intimidade do seu ser' (GS, n. 16). Quanto mais os esposos procuram ouvir na sua consciência Deus e os seus mandamentos (cf. Rm 2,15), deixando-se acompanhar espiritualmente, tanto mais a sua decisão será intimamente livre de um juízo subjetivo e da adequação aos modos de se comportar do seu ambiente".[248] Continua a ser válido o que ficou dito, com clareza, no Concílio Vaticano II: os cônjuges, "de comum acordo e com esforço comum, formarão retamente a própria consciência, levando em conta o seu bem próprio e o dos filhos já nascidos ou que preveem virão a nascer, sabendo ver as condições de tempo e da própria situação e tendo, finalmente, em consideração o bem da comunidade familiar, da sociedade temporal e da própria Igreja. São os próprios esposos que, em última instância, devem diante de Deus tomar esta decisão".[249] Por outro lado, "o recurso aos métodos baseados nos 'ritmos naturais da fecundidade' (HV, n. 11) deverá ser encorajado. Esclarecer-se-á que 'estes

---

[248] Ibidem, n. 63.
[249] GS, n. 50.

métodos respeitam o corpo dos esposos, estimulam a ternura entre eles e favorecem a educação de uma liberdade autêntica' (CIgC, n. 2370). É necessário salientar sempre que os filhos constituem um dom maravilhoso de Deus, uma alegria para os pais e para a Igreja. É através deles que o Senhor renova o mundo".[250]

Alguns recursos

223. Os Padres sinodais afirmaram que "os primeiros anos de matrimônio são um período vital e delicado, durante o qual os cônjuges crescem na consciência dos desafios e do significado do matrimônio. Daí a necessidade de um acompanhamento pastoral que continue depois da celebração do sacramento (cf. FC, parte III). Nesta pastoral, tem grande importância a presença de casais de esposos com experiência. A paróquia é considerada como o lugar onde casais especializados podem colocar à disposição dos casais mais jovens a sua ajuda, com o eventual apoio de associações, movimentos eclesiais e novas comunidades. Deve-se encorajar os esposos para uma atitude fundamental de acolhimento do grande dom dos filhos. É preciso sublinhar a importância da espiritualidade familiar, da oração e da participação na Eucaristia dominical, e animar os cônjuges a reunirem-se regularmente para promoverem o crescimento da vida espiritual e a

---

[250] *Relatio Finalis* 2015, n. 63.

solidariedade nas exigências concretas da vida. Liturgias, práticas devocionais e Eucaristias celebradas para as famílias, sobretudo no aniversário de matrimônio, foram citadas como vitais para favorecer a evangelização através da família".[251]

224. Este caminho é uma questão de tempo. O amor precisa de tempo disponível e gratuito, colocando outras coisas em segundo lugar. Faz falta tempo para dialogar, abraçar-se sem pressa, partilhar projetos, escutar-se, olhar-se nos olhos, apreciar-se, fortalecer a relação. Umas vezes, o problema é o ritmo frenético da sociedade, ou os horários impostos pelos compromissos laborais. Outras vezes, o problema é que o tempo transcorrido em conjunto não tem qualidade; limitam-se a partilhar um espaço físico, mas sem prestar atenção um ao outro. Os agentes pastorais e os grupos de famílias deveriam ajudar os casais jovens ou frágeis a aprenderem a encontrar-se nestes momentos, a parar um diante do outro, e inclusive a partilhar momentos de silêncio que os obriguem a sentir a presença do cônjuge.

225. Os esposos que têm uma boa experiência de "treino" nesta linha podem oferecer os instrumentos práticos que lhes foram úteis: a programação dos momentos para estar juntos sem nada exigir, os tempos de recreação com os filhos, as várias maneiras de celebrar

---
[251] *Relatio Synodi* 2014, n. 40.

coisas importantes, os espaços de espiritualidade partilhada. Mas podem também ensinar recursos que ajudam a encher de conteúdo e sentido tais momentos, para se aprender a comunicar melhor. Isto é da máxima importância quando se apagou a novidade do noivado. Com efeito, quando não se sabe que fazer com o tempo partilhado, um ou outro dos cônjuges acabará por se refugiar na tecnologia, inventará outros compromissos, buscará outros braços, ou escapará de uma intimidade incômoda.

226. Aos casais jovens, deve-se animar também a criar os seus próprios hábitos, que proporcionem uma salutar sensação de estabilidade e proteção e que se constroem com uma série de rituais diários compartilhados. É bom dar-se sempre um beijo pela manhã, abençoar-se todas as noites, esperar pelo outro e recebê-lo à chegada, ter alguma saída juntos, compartilhar as tarefas domésticas. Ao mesmo tempo, porém, é bom vencer a rotina com a festa, não perder a capacidade de celebrar em família, alegrar-se e festejar as experiências belas. Precisam compartilhar a surpresa pelos dons de Deus e alimentar, juntos, o entusiasmo pela vida. Quando se sabe celebrar, esta capacidade renova a energia do amor, liberta-o da monotonia e enche de cor e esperança os hábitos diários.

227. Nós, pastores, devemos animar as famílias a crescerem na fé. Para isso, é bom incentivar a confissão

frequente, a direção espiritual, a participação em retiros. Mas há que convidar também a criar espaços semanais de oração familiar, porque "a família que reza unida permanece unida". Entretanto, quando visitamos os lares, devemos convidar todos os membros da família para um momento de oração, a fim de rezar uns pelos outros e entregar a família nas mãos do Senhor. Ao mesmo tempo, convém incentivar cada um dos cônjuges a reservar momentos de oração a sós diante de Deus, porque cada qual tem as suas cruzes secretas. Por que não contar a Deus o que turba o coração ou pedir-Lhe a força para curar as próprias feridas e pedir as luzes necessárias para poder cumprir o próprio compromisso? Os Padres sinodais salientaram também que "a Palavra de Deus é fonte de vida e espiritualidade para a família. Toda a pastoral familiar deverá deixar-se moldar interiormente e formar os membros da igreja doméstica, através da leitura orante e eclesial da Sagrada Escritura. A Palavra de Deus é não só uma boa-nova para a vida privada das pessoas, mas também um critério de juízo e uma luz para o discernimento dos vários desafios que têm de enfrentar os cônjuges e as famílias".[252]

228. Pode acontecer que um dos cônjuges não seja batizado ou não queira viver os compromissos da fé. Neste caso, o desejo que o outro tem de viver e crescer

---

[252] Ibidem, n. 34.

como cristão faz com que a indiferença do cônjuge seja vivida com amargura. Apesar disso, é possível encontrar alguns valores comuns que se podem partilhar e cultivar com entusiasmo. Seja como for, amar o cônjuge não crente, fazê-lo feliz, aliviar os seus sofrimentos e partilhar a vida com ele é um verdadeiro caminho de santificação. Por outro lado, o amor é um dom de Deus e, onde se derrama, faz sentir a sua força transformadora, por vezes de maneira misteriosa, a ponto que "o marido não cristão fica santificado por sua mulher cristã, e a mulher não cristã fica santificada por seu marido cristão" (1Cor 7,14).

229. As paróquias, os movimentos, as escolas e outras instituições da Igreja podem desenvolver várias mediações para apoiar e reavivar as famílias. Por exemplo, através de recursos como reuniões de casais vizinhos ou amigos, breves retiros para casais, conferências de especialistas sobre problemáticas muito concretas da vida familiar, centros de aconselhamento conjugal, agentes missionários preparados para falar com os casais acerca das suas dificuldades e aspirações, consultas sobre diferentes situações familiares (dependências, infidelidade, violência familiar), espaços de espiritualidade, escolas de formação para pais com filhos problemáticos, assembleias familiares. A secretaria paroquial deveria ter possibilidades de receber com cordialidade e ocupar-se das urgências

familiares, ou encaminhá-las facilmente para quem possa dar ajuda. Há também um apoio pastoral que se verifica nos grupos de casais, sejam eles de serviço ou de missão, de oração, de formação ou de mútua ajuda. Estes grupos proporcionam a ocasião de dar, de viver a abertura da família aos outros, de partilhar a fé, mas ao mesmo tempo são um meio para fortalecer os cônjuges e fazê-los crescer.

230. É verdade que muitos casais de esposos desaparecem da comunidade cristã depois do matrimônio, mas com frequência desperdiçamos algumas ocasiões em que eles voltam a estar presentes e nas quais poderíamos tornar a propor-lhes, de forma atraente, o ideal do matrimônio cristão e aproximá-los a espaços de acompanhamento. Refiro-me, por exemplo, ao batismo de um filho, à Primeira Comunhão, ou quando participam em um funeral ou no casamento de um parente ou amigo. Quase todos os casais voltam a aparecer nestas ocasiões, que se poderiam aproveitar melhor. Outro caminho de abordagem é a bênção das casas ou a visita de uma imagem da Virgem, que dão oportunidade para desenvolver um diálogo pastoral sobre a situação da família. Pode ser útil também confiar a casais mais maduros a tarefa de acompanhar casais mais recentes da sua própria vizinhança, a fim de visitá-los, acompanhar nos seus inícios e propor-lhes um percurso de crescimento. Com o ritmo da vida atual, a maioria dos casais não estará disposta

a reuniões frequentes, mas não podemos reduzir-nos a uma pastoral de pequenas elites. Hoje, a pastoral familiar deve ser fundamentalmente missionária, em saída, por aproximação, em vez de se reduzir a ser uma fábrica de cursos a que poucos assistem.

Iluminar crises, angústias e dificuldades

231. Deixo aqui uma palavra àqueles que, no amor, já envelheceram o vinho novo do noivado. Quando o vinho envelhece com esta experiência do caminho, então aparece, floresce em toda a sua plenitude a fidelidade dos momentos insignificantes da vida. É a fidelidade da espera e da paciência. Esta fidelidade, cheia de sacrifícios e alegrias, de certo modo vai florescendo na idade em que tudo fica "amadurecido" e os olhos brilham com a contemplação dos filhos de seus filhos. Foi assim desde o início, mas agora tornou-se consciente, firme, amadurecido na surpresa cotidiana da redescoberta dia após dia, ano após ano. Como ensinava São João da Cruz, "os velhos amantes são os já treinados e testados". Eles "já não têm aqueles fervores sensíveis nem aquelas ebulições e chamas externas de ardor, mas saboreiam a suavidade do vinho de amor bem sedimentado na sua substância (…) assente dentro da alma".[253] Isto supõe que foram capazes de superar,

---

[253] *Cântico espiritual* B, XXV, 11.

juntos, as crises e os momentos de angústia, sem fugir aos desafios nem esconder as dificuldades.

O desafio das crises

232. A história de uma família está marcada por crises de todo gênero, que são parte também da sua dramática beleza. É preciso ajudar a descobrir que uma crise superada não leva a uma relação menos intensa, mas a melhorar, sedimentar e maturar o vinho da união. Não se vive juntos para ser cada vez menos feliz, mas para aprender a ser feliz de maneira nova, a partir das possibilidades que abre uma nova etapa. Cada crise implica um aprendizado, que permite incrementar a intensidade da vida comum ou, pelo menos, encontrar um novo sentido para a experiência matrimonial. É preciso não se resignar de modo algum a uma curva descendente, a uma inevitável deterioração, a uma mediocridade que se tem de suportar. Pelo contrário, quando se assume o matrimônio como uma tarefa que implica também superar obstáculos, cada crise é sentida como uma ocasião para chegar a beber, juntos, o vinho melhor. É bom acompanhar os cônjuges, para que sejam capazes de aceitar as crises que lhes sobrevêm, aceitar o desafio e atribuir-lhes um lugar na vida familiar. Os casais experientes e formados devem estar dispostos a acompanhar outros nesta descoberta, para que as crises não os assustem nem os levem a tomar decisões

precipitadas. Cada crise esconde uma boa notícia, que é preciso saber escutar, afinando os ouvidos do coração.

233. Perante o desafio de uma crise, a reação imediata é resistir, pôr-se à defesa por sentir que escapa ao próprio controle, por mostrar a insuficiência da própria maneira de viver, e isto incomoda. Então usa-se o método de negar os problemas, escondê-los, relativizar a sua importância, apostar apenas em que o tempo passe. Mas isto adia a solução e leva a gastar muitas energias em um ocultamento inútil que complicará ainda mais as coisas. Os vínculos vão-se deteriorando e consolida-se um isolamento que danifica a intimidade. Em uma crise não assumida, o que mais se prejudica é a comunicação. Assim, pouco a pouco, aquela que era "a pessoa que amo" passa a ser "quem me acompanha sempre na vida", a seguir apenas "o pai ou a mãe dos meus filhos", e por fim um estranho.

234. Para se enfrentar uma crise, é necessário estar presente. É difícil, porque às vezes as pessoas isolam-se para não mostrar o que sentem, trancam-se em um silêncio mesquinho e enganador. Nestes momentos, é necessário criar espaços para comunicar de coração a coração. O problema é que se torna ainda mais difícil comunicar em um momento de crise, se nunca se aprendeu a fazê-lo. É uma verdadeira arte que se aprende em tempos calmos, para se pôr em prática nos tempos de tempestade. É preciso ajudar a descobrir

as causas mais recônditas nos corações dos esposos e enfrentá-las como um parto que passará e deixará um novo tesouro. Mas, nas respostas às consultas realizadas, assinalava-se que, em situações difíceis ou críticas, a maioria não recorre ao acompanhamento pastoral, porque não o sente compreensivo, próximo, realista, encarnado. Por isso, procuremos agora debruçar-nos sobre as crises conjugais com um olhar que não ignore a sua carga de sofrimento e angústia.

235. Há crises comuns que costumam verificar-se em todos os matrimônios, como a crise ao início quando é preciso aprender a conciliar as diferenças e a desligar-se dos pais; ou a crise da chegada do filho, com os seus novos desafios emotivos; a crise de educar uma criança, que altera os hábitos do casal; a crise da adolescência do filho, que exige muitas energias, desestabiliza os pais e às vezes contrapõem-nos entre si; a crise do "ninho vazio", que obriga o casal a fixar de novo o olhar um no outro; a crise causada pela velhice dos pais dos cônjuges, que requer mais presença, solicitude e decisões difíceis. São situações exigentes, que provocam temores, sentimentos de culpa, depressões ou cansaços que podem afetar gravemente a união.

236. A estas crises, vêm juntar-se as crises pessoais com incidência no casal, relacionadas com dificuldades econômicas, laborais, afetivas, sociais, espirituais. E acrescentam-se circunstâncias inesperadas,

que podem alterar a vida familiar e exigir um caminho de perdão e reconciliação. No próprio momento em que procura dar o passo do perdão, cada um deve questionar-se, com serena humildade, se não criou as condições para expor o outro a cometer certos erros. Algumas famílias sucumbem, quando os cônjuges se culpam mutuamente, mas "a experiência mostra que, com uma ajuda adequada e com a ação de reconciliação da graça, uma grande percentagem de crises matrimoniais é superada de forma satisfatória. Saber perdoar e sentir-se perdoado é uma experiência fundamental na vida familiar".[254] "A difícil arte da reconciliação, que tem necessidade da ajuda da graça, precisa da colaboração generosa de parentes e amigos, e às vezes inclusive de um apoio externo e profissional".[255]

237. Tornou-se frequente que, quando um cônjuge sente que não recebe o que deseja, ou não se realiza o que sonhava, isso lhe pareça ser suficiente para pôr fim ao matrimônio. Mas, assim, não haverá matrimônio que dure. Às vezes, para decidir que tudo acabou, basta uma desilusão, a ausência em um momento em que se precisava do outro, um orgulho ferido ou um temor indefinido. Há situações próprias da inevitável fragilidade humana, a que se atribui um peso emotivo

---

[254] *Relatio Synodi* 2014, n. 44.
[255] *Relatio Finalis* 2015, n. 81.

demasiado grande. Por exemplo, a sensação de não ser completamente correspondido, os ciúmes, as diferenças que podem surgir entre os dois, a atração suscitada por outras pessoas, os novos interesses que tendem a apoderar-se do coração, as mudanças físicas do cônjuge e tantas outras coisas que, mais do que atentados contra o amor, são oportunidades que convidam a recriá-lo uma vez mais.

238. Nestas circunstâncias, alguns têm a maturidade necessária para voltar a escolher o outro como companheiro de estrada, para além dos limites da relação, e aceitam com realismo que não se possam satisfazer todos os sonhos acalentados. Evitam considerar-se os únicos mártires, apreciam as pequenas ou limitadas possibilidades que lhes oferece a vida em família e apostam em fortalecer o vínculo em uma construção que exigirá tempo e esforço. No fundo, reconhecem que cada crise é como um novo "sim" que torna possível o amor renascer reforçado, transfigurado, amadurecido, iluminado. A partir de uma crise, tem-se a coragem de buscar as raízes profundas do que está a suceder, de voltar a negociar os acordos fundamentais, de encontrar um novo equilíbrio e de percorrer juntos uma nova etapa. Com esta atitude de constante abertura, podem-se enfrentar muitas situações difíceis. Em todo caso, reconhecendo que a reconciliação é possível, hoje descobrimos que "um ministério dedicado àqueles cuja

relação matrimonial se interrompeu, parece particularmente urgente".[256]

Velhas feridas

239. É compreensível que, nas famílias, haja muitas dificuldades, quando um dos seus membros não amadureceu a sua maneira de relacionar-se, porque não curou feridas de alguma etapa da sua vida. A própria infância e a própria adolescência mal vividas são terreno fértil para crises pessoais que acabam por afetar o matrimônio. Se todos fossem pessoas que amadureceram normalmente, as crises seriam menos frequentes e menos dolorosas. A verdade, porém, é que às vezes as pessoas precisam realizar aos quarenta anos um amadurecimento atrasado que deveria ter sido alcançado no fim da adolescência. Às vezes ama-se com um amor egocêntrico próprio da criança, fixado em uma etapa onde a realidade é distorcida e se vive o capricho de que tudo deva girar à volta do próprio eu. É um amor insaciável, que grita e chora quando não obtém o que deseja. Outras vezes ama-se com um amor fixado na fase da adolescência, caracterizado pelo confronto, a crítica ácida, o hábito de culpar os outros, a lógica do sentimento e da fantasia, onde os outros devem preencher os nossos vazios ou apoiar os nossos caprichos.

---

[256] Ibidem, n. 78.

240. Muitos terminam a sua infância sem nunca terem se sentido amados incondicionalmente, e isto compromete a sua capacidade de confiar e entregar-se. Uma relação mal vivida com os seus pais e irmãos, que nunca foi curada, reaparece e danifica a vida conjugal. Então é preciso fazer um percurso de libertação, que nunca se enfrentou. Quando a relação entre os cônjuges não funciona bem, antes de tomar decisões importantes, convém assegurar-se de que cada um tenha feito este caminho de cura da própria história. Isto exige que se reconheça a necessidade de ser curado, que se peça com insistência a graça de perdoar e perdoar-se, que se aceite ajuda, se procurem motivações positivas e se tente sempre de novo. Cada um deve ser muito sincero consigo mesmo, para reconhecer que o seu modo de viver o amor tem estas imaturidades. Por mais evidente que possa parecer que toda a culpa seja do outro, nunca é possível superar uma crise esperando que apenas o outro mude. É preciso também questionar a si mesmo sobre as coisas que poderia pessoalmente amadurecer ou curar para favorecer a superação do conflito.

Acompanhar depois das rupturas e dos divórcios

241. Em alguns casos, a consideração da própria dignidade e do bem dos filhos exige pôr um limite firme às pretensões excessivas do outro, a uma grande injustiça, à violência ou a uma falta de respeito que se tornou crônica. É preciso reconhecer que "há casos em

que a separação é inevitável. Por vezes, pode tornar-se até moralmente necessária, quando se trata de defender o cônjuge mais frágil, ou os filhos pequenos, das feridas mais graves causadas pela prepotência e a violência, pela humilhação e a exploração, pela alienação e a indiferença".[257] Mas "deve ser considerado um remédio extremo, depois que se tenham demonstrado vãs todas as tentativas razoáveis".[258]

242. Os Padres disseram que "é indispensável um discernimento particular para acompanhar pastoralmente os separados, os divorciados, os abandonados. Tem-se de acolher e valorizar sobretudo a angústia daqueles que sofreram injustamente a separação, o divórcio ou o abandono, ou então foram obrigados, pelos maus-tratos do cônjuge, a romper a convivência. Não é fácil o perdão pela injustiça sofrida, mas constitui um caminho que a graça torna possível. Daí a necessidade de uma pastoral da reconciliação e da mediação, inclusive através de centros de escuta especializados que se devem estabelecer nas dioceses".[259] Ao mesmo tempo, "as pessoas divorciadas que não voltaram a casar (que são muitas vezes testemunhas da fidelidade matrimonial) devem ser encorajadas a encontrar na Eucaristia o

---

[257] FRANCISCO, *Catequese* (24 de junho de 2015): *L'Osservatore Romano* (ed. semanal portuguesa de 25/06/2015), 20.

[258] FC, n. 83.

[259] *Relatio Synodi* 2014, n. 47.

alimento que as sustente no seu estado. A comunidade local e os pastores devem acompanhar estas pessoas com solicitude, sobretudo quando há filhos ou é grave a sua situação de pobreza".[260] Um fracasso matrimonial torna-se muito mais traumático e doloroso quando há pobreza, porque se têm muito menos recursos para reordenar a existência. Uma pessoa pobre, que perde o ambiente protetor da família, fica duplamente exposta ao abandono e a todo o tipo de riscos para a sua integridade.

243. Quanto às pessoas divorciadas que vivem em uma nova união, é importante fazer-lhes sentir que fazem parte da Igreja, que "não estão excomungadas" nem são tratadas como tais, porque sempre integram a comunhão eclesial.[261] Estas situações "exigem um atento discernimento e um acompanhamento com grande respeito, evitando qualquer linguagem e atitude que as faça sentir discriminadas e promovendo a sua participação na vida da comunidade. Cuidar delas não é, para a comunidade cristã, um enfraquecimento da sua fé e do seu testemunho sobre a indissolubilidade do matrimônio; antes, ela exprime precisamente neste cuidado a sua caridade".[262]

---

[260] Ibidem, n. 50.

[261] Cf. FRANCISCO, *Catequese* (5 de agosto de 2015): *L'Osservatore Romano* (ed. semanal portuguesa de 06-13/08/2015), 16.

[262] *Relatio Synodi* 2014, n. 51; cf. *Relatio Finalis* 2015, n. 84.

244. Além disso, um grande número de Padres "sublinhou a necessidade de tornar mais acessíveis, ágeis e possivelmente gratuitos os procedimentos para o reconhecimento dos casos de nulidade".[263] A lentidão dos processos irrita e cansa as pessoas. Os meus dois documentos recentes sobre tal matéria[264] levaram a uma simplificação dos procedimentos para uma eventual declaração de nulidade matrimonial. Através deles, quis também "evidenciar que o próprio bispo na sua Igreja, da qual está constituído pastor e cabeça, é por isso mesmo juiz entre os fiéis a ele confiados".[265] Por isso, "a práxis destes documentos constitui uma grande responsabilidade para os Ordinários diocesanos, chamados a julgar eles mesmos algumas causas e, de qualquer modo, a assegurar um acesso mais fácil dos fiéis à justiça. Isto comporta a preparação de pessoal suficiente, composto por clérigos e leigos, que se consagre de forma prioritária a este serviço eclesial. Portanto, será necessário pôr à disposição das pessoas separadas ou dos casais em crise, um serviço de informação, de aconselhamento e de mediação, ligado à Pastoral Familiar, que também poderá receber as pessoas em vista

---

[263] *Relatio Synodi* 2014, n. 48.
[264] Cf. MIDI, n. 3-4; MMI, n. 5-6.
[265] MIDI, preâmbulo, III.

da investigação preliminar ao processo matrimonial (cf. MIDI, arts. 2-3)".[266]

245. Os Padres sinodais puseram em evidência também "as consequências da separação ou do divórcio sobre os filhos, em todo o caso vítimas inocentes da situação".[267] Acima de todas as considerações que se queiram fazer, eles são a primeira preocupação, que não deve ser ofuscada por nenhum outro interesse ou objetivo. Peço aos pais separados: "Nunca, nunca e nunca tomeis o filho como refém! Separastes-vos devido a muitas dificuldades e motivos, a vida deu-vos esta provação, mas os filhos não devem carregar o fardo desta separação; que eles não sejam usados como reféns contra o outro cônjuge, mas cresçam ouvindo a mãe falar bem do pai, embora já não estejam juntos, e o pai falar bem da mãe".[268] É irresponsável arruinar a imagem do pai ou da mãe com o objetivo de monopolizar o afeto do filho, para se vingar ou defender, porque isso afetará a vida interior daquela criança e provocará feridas difíceis de curar.

246. A Igreja, embora compreenda as situações conflituosas que devem atravessar os cônjuges, não

---

[266] *Relatio Finalis* 2015, n. 82.

[267] *Relatio Synodi* 2014, n. 47.

[268] FRANCISCO, *Catequese* (20 de maio de 2015): *L'Osservatore Romano* (ed. semanal portuguesa de 21/05/2015), 20.

pode cessar de ser a voz dos mais frágeis: os filhos, que sofrem muitas vezes em silêncio. Hoje, "não obstante a nossa sensibilidade aparentemente evoluída e todas as nossas análises psicológicas refinadas, pergunto-me se não nos entorpecemos também relativamente às feridas da alma das crianças. (…) Sentimos nós o peso da montanha que esmaga a alma de uma criança, nas famílias onde se maltrata e magoa, até quebrar o vínculo da fidelidade conjugal?".[269] Tais experiências ruins não ajudam estas crianças a amadurecer para serem capazes de compromissos definitivos. Por isso, as comunidades cristãs não devem deixar sozinhos os pais divorciados que vivem em uma nova união. Pelo contrário, devem integrá-los e acompanhá-los na sua função educativa. Aliás, "como poderíamos recomendar a estes pais que façam todo o possível para educar os seus filhos na vida cristã, dando-lhes o exemplo de uma fé convicta e praticada, se os mantivéssemos à distância da vida da comunidade, como se estivessem excomungados? Devemos proceder de modo que não se acrescentem outros pesos àqueles que os filhos, nestas situações, já têm que suportar".[270] Ajudar a curar as feridas dos pais e sustentá-los espiritualmente é bom também para os

---

[269] FRANCISCO, *Catequese* (24 de junho de 2015): *L'Osservatore Romano* (ed. semanal portuguesa de 25/06/2015), 20.

[270] FRANCISCO, *Catequese* (5 de agosto de 2015): *L'Osservatore Romano* (ed. semanal portuguesa de 06-13/08/2015), 16.

filhos, que precisam do rosto familiar da Igreja que os ampare nesta experiência traumática. O divórcio é um mal, e é muito preocupante o aumento do número de divórcios. Por isso, sem dúvida, a nossa tarefa pastoral mais importante relativamente às famílias é reforçar o amor e ajudar a curar as feridas, para podermos impedir o avanço deste drama do nosso tempo.

Algumas situações complexas

247. "As problemáticas relativas aos matrimônios mistos requerem uma atenção específica. Os matrimônios entre católicos e outros batizados 'na sua fisionomia particular, apresentam numerosos elementos que convêm valorizar e desenvolver, quer pelo seu valor intrínseco, quer pela ajuda que podem dar ao movimento ecumênico'. Com tal finalidade, 'procure-se (…) uma colaboração cordial entre o ministro católico e o não católico, desde o momento da preparação para o matrimônio e para as núpcias' (FC, n. 78). A respeito da partilha eucarística, recorda-se que 'a decisão de admitir ou não a parte não católica do matrimônio à comunhão eucarística deve ser tomada em conformidade com as normas gerais existentes na matéria, tanto para os cristãos orientais como para os outros cristãos, e tendo presente esta situação particular, ou seja, que recebem o sacramento do matrimônio cristão dois cristãos batizados. Embora os esposos de um matrimônio misto tenham em comum os sacramentos do

Batismo e do Matrimônio, a partilha da Eucaristia não pode deixar de ser extraordinária e, contudo, devem ser observadas as disposições indicadas' (Pont. Conselho para a Promoção da Unidade dos Cristãos, *Diretório para a Aplicação dos Princípios e das Normas sobre o Ecumenismo*, 25 de março de 1993, 159-160)".[271]

248. "Os matrimônios com disparidade de culto representam um lugar privilegiado de diálogo inter-religioso (...). Comportam algumas dificuldades específicas, tanto no que se refere à identidade cristã da família, como no que diz respeito à educação religiosa dos filhos. (...) O número de famílias compostas por uniões conjugais com disparidade de culto, em aumento nos territórios de missão e inclusive nos países de antiga tradição cristã, requer a urgência de prover a um cuidado pastoral em conformidade com os diferentes contextos sociais e culturais. Em determinados países, onde a liberdade de religião não existe, o cônjuge cristão é obrigado a passar para outra religião para poder casar, e não lhe é permitido celebrar o matrimônio canônico em disparidade de culto, nem batizar os seus filhos. Por conseguinte, devemos reiterar a necessidade de que a liberdade religiosa seja respeitada em relação a todos".[272] "É necessário prestar uma atenção particular

---

[271] *Relatio Finalis* 2015, n. 72.
[272] Ibidem, n. 73.

às pessoas que se unem em tais matrimônios, e não somente no período que antecede às bodas. Desafios peculiares são enfrentados pelos casais e pelas famílias nas quais um dos cônjuges é católico e o outro é não crente. Nestes casos, é necessário dar testemunho da capacidade que o Evangelho tem de se inserir em tais situações, de modo a tornar possível a educação para a fé cristã dos filhos".[273]

249. "Particular dificuldade apresentam as situações que se referem ao acesso ao Batismo por parte de pessoas que se encontram em uma condição matrimonial complexa. Trata-se de pessoas que contraíram uma união matrimonial estável em uma época em que ainda pelo menos uma delas não conhecia a fé cristã. Nestes casos, os bispos são chamados a exercer um discernimento pastoral apropriado ao seu bem espiritual".[274]

250. A Igreja conforma o seu comportamento ao do Senhor Jesus que, em um amor sem fronteiras, Se ofereceu por todas as pessoas sem exceção.[275] Com os Padres sinodais, examinei a situação das famílias que vivem a experiência de ter no seu seio pessoas com tendência homossexual, experiência não fácil nem para os pais nem para os filhos. Por isso desejo, antes de

---

[273] Ibidem, n. 74.
[274] Ibidem, n. 75.
[275] Cf. MV, n. 12.

tudo, reafirmar que cada pessoa, independentemente da própria orientação sexual, deve ser respeitada na sua dignidade e acolhida com respeito, procurando evitar "todo sinal de discriminação injusta"[276] e particularmente toda a forma de agressão e violência. Às famílias, por sua vez, deve-se assegurar um respeitoso acompanhamento, para que quantos manifestam a tendência homossexual possam dispor dos auxílios necessários para compreender e realizar plenamente a vontade de Deus na sua vida.[277]

251. No decurso dos debates sobre a dignidade e a missão da família, os Padres sinodais anotaram, quanto aos projetos de equiparação ao matrimônio das uniões entre pessoas homossexuais, que não existe fundamento algum para assimilar ou estabelecer analogias, sequer remotas, entre as uniões homossexuais e o desígnio de Deus sobre o matrimônio e a família. É "totalmente inaceitável que as Igrejas locais sofram pressões nesta matéria, e que os organismos internacionais condicionem as ajudas financeiras aos países pobres à introdução de leis que instituam o 'casamento' entre pessoas do mesmo sexo".[278]

---

[276] CIgC, n. 2358; cf. *Relatio Finalis* 2015, n. 76.

[277] Cf. CIgC, n. 2358.

[278] *Relatio Finalis* 2015, n. 76; cf. Congregação para a Doutrina da Fé, *Considerações sobre os projetos de reconhecimento legal das uniões entre pessoas homossexuais*, 4 (3 de junho de 2003).

252. As famílias monoparentais têm frequentemente origem a partir de "mães ou pais biológicos que nunca quiseram integrar-se na vida familiar, situações de violência das quais um dos pais teve que fugir com os filhos, morte de um dos pais, além de outras situações. Qualquer que seja a causa, quem mora com o próprio filho deve encontrar apoio e consolação junto das outras famílias que formam a comunidade cristã, assim como junto dos organismos pastorais paroquiais. Estas famílias são muitas vezes posteriormente afligidas pela gravidade dos problemas econômicos, pela incerteza de um trabalho precário, pela dificuldade enfrentada para a manutenção dos filhos e pela falta de uma casa".[279]

Quando a morte crava o seu aguilhão

253. Às vezes, a vida familiar vê-se desafiada pela morte de um ente querido. Não podemos deixar de oferecer a luz da fé para acompanhar as famílias que sofrem em tais momentos.[280] Abandonar uma família atribulada por uma morte seria uma falta de misericórdia, seria perder uma oportunidade pastoral, e tal atitude pode fechar-nos as portas para qualquer eventual ação evangelizadora.

---

[279] *Relatio Finalis* 2015, n. 80.
[280] Cf. ibidem, n. 20.

254. Compreendo a angústia de quem perdeu uma pessoa muito amada, um cônjuge com quem se partilhou tantas coisas. O próprio Jesus Se comoveu e chorou no velório de um amigo (cf. Jo 11,33.35). E como não compreender o lamento de quem perdeu um filho? Com efeito, "é como se o tempo parasse: abre-se um abismo que engole o passado e também o futuro. (…) E às vezes chega-se até a dar a culpa a Deus! Quantas pessoas – compreendo-as – se chateiam com Deus".[281] "A viuvez é uma experiência particularmente difícil (…). Alguns mostram que sabem canalizar as próprias energias com dedicação ainda maior para os filhos e para os netos, encontrando nesta expressão de amor uma nova missão educativa. (…) Aqueles que não podem contar com a presença de familiares aos quais dedicar-se e dos quais receber afeto e proximidade, devem ser apoiados pela comunidade cristã com especial atenção e disponibilidade, sobretudo se se encontram em condições de indigência".[282]

255. Em geral, o luto pelos falecidos pode durar bastante tempo e, quando um pastor quer acompanhar este percurso, deve adaptar-se às necessidades de cada uma das suas fases. Todo o percurso é atravessado por questionamentos sobre as causas da morte, o que

---

[281] FRANCISCO, *Catequese* (17 de junho de 2015): *L'Osservatore Romano* (ed. semanal portuguesa de 18/07/2015), 16.
[282] *Relatio Finalis* 2015, n. 19.

poderia ter sido feito, o que uma pessoa vive nos momentos anteriores à morte… Com um caminho sincero e paciente de oração e libertação interior, volta a paz. No luto, há momentos em que é preciso ajudar a descobrir que, embora tenhamos perdido um ente querido, existe ainda uma missão a cumprir e não nos faz bem querer prolongar a tristeza, como se isto fosse uma homenagem. A pessoa amada não precisa da nossa tristeza, nem deseja que arruinemos a nossa vida. E também não é a melhor expressão de amor lembrá-la e nomeá-la a cada momento, porque significa estar preso a um passado que já não existe, em vez de amar a pessoa real que agora se encontra no Além. A sua presença física já não é possível; é verdade que a morte é algo poderoso, mas "o amor é forte como a morte" (Ct 8,6). O amor possui uma intuição que lhe permite escutar sem sons e ver no invisível. Isto não é imaginar o ente querido como era, mas poder aceitá-lo transformado, como é agora. Jesus ressuscitado, quando a sua amiga Maria Madalena quis abraçá-Lo intensamente, pediu-lhe que não O tocasse (cf. Jo 20,17) para a levar a um encontro diferente.

256. Consola-nos saber que não se verifica a destruição total dos que morrem, e a fé assegura-nos que o Ressuscitado nunca nos abandonará. Podemos, assim, impedir que a morte "envenene a nossa vida, torne vãos os nossos afetos e nos faça cair no vazio mais

escuro".²⁸³ A Bíblia fala de um Deus que nos criou por amor, e fez-nos de uma maneira tal que a nossa vida não termina com a morte (cf. Sb 3,2-3). São Paulo fala-nos de um encontro com Cristo imediatamente depois da morte: "desejo ardentemente partir para estar com Cristo" (Fl 1,23). Com Ele, espera-nos depois da morte aquilo que Deus preparou para aqueles que O amam (cf. 1Cor 2,9). De forma muito bela, assim se exprime o prefácio da Missa dos Fiéis Defuntos: "Se a certeza da morte nos entristece, conforta-nos a promessa da imortalidade. Para os que creem em Vós, Senhor, a vida não acaba, apenas se transforma". Com efeito, "os nossos entes queridos não desapareceram nas trevas do nada: a esperança assegura-nos que eles estão nas mãos bondosas e vigorosas de Deus".²⁸⁴

257. Uma maneira de comunicarmos com os seres queridos que morreram é rezar por eles.²⁸⁵ Diz a Bíblia que "orar pelos mortos" é "santo e piedoso" (2Mc 12,44.45). Rezar por eles "pode não só ajudá-los, mas também tornar mais eficaz a sua intercessão em nosso favor".²⁸⁶ O Apocalipse apresenta os mártires a interceder pelos que sofrem injustiça na terra (cf. 6,9-11),

---

[283] FRANCISCO, *Catequese* (17 de junho de 2015): *L'Osservatore Romano* (ed. semanal portuguesa de 18/07/2015), 16.

[284] Idem.

[285] Cf. CIgC, n. 958.

[286] Idem.

solidários com este mundo em caminho. Alguns Santos, antes de morrer, consolavam os seus entes queridos, prometendo-lhes que estariam perto ajudando-os. Santa Teresa de Lisieux sentia vontade de continuar, do Céu, a fazer o bem.[287] E São Domingos afirmava que "seria mais útil, depois de morto (…), mais poderoso para obter graças".[288] São laços de amor,[289] porque "de modo nenhum se interrompe a união dos que ainda caminham sobre a terra com os irmãos que adormeceram na paz de Cristo; mas (…) é reforçada pela comunicação dos bens espirituais".[290]

258. Se aceitarmos a morte, podemos preparar-nos para ela. O caminho é crescer no amor para com aqueles que caminham conosco, até o dia em que "a morte não existirá mais, e não haverá mais luto, nem grito, nem dor" (Ap 21,4). Deste modo, preparar-nos-emos também para reencontrar os nossos entes queridos que morreram. Assim como Jesus entregou o filho que tinha morrido à sua mãe (cf. Lc 7,15), assim também

---

[287] Cf. "Últimos colóquios: 'Caderno Amarelo' da Madre Inês" (17 de julho de 1897): *Opere complete* (Cidade do Vaticano 1997), 1028. Nesta linha, é significativo o testemunho das carmelitas de que Santa Teresa prometera que a sua partida deste mundo havia de ser "como uma chuva de rosas" (Ibidem, 9 de junho de 1897: o. c., 991).

[288] JORDÃO DE SAXÔNIA, *Libellus de principiis Ordinis predicatorum*, 93: *Monumenta Historica Sancti Patris Nostri Dominici*, XVI (Roma 1935), 69.

[289] Cf. CIgC, n. 957.

[290] LG, n. 49.

procederá conosco. Não gastemos energias, detendo-nos anos e anos no passado. Quanto melhor vivermos nesta terra, tanto maior felicidade poderemos partilhar com os nossos entes queridos no céu. Quanto mais conseguirmos amadurecer e crescer, tanto mais poderemos levar-lhes coisas belas para o banquete celeste.

Capítulo VII
REFORÇAR A EDUCAÇÃO DOS FILHOS

259. Os pais incidem sempre, para bem ou para mal, no desenvolvimento moral dos seus filhos. Consequentemente, o melhor é aceitarem esta responsabilidade inevitável e realizarem-na de modo consciente, entusiasta, razoável e apropriado. Uma vez que esta função educativa das famílias é tão importante e se tornou muito complexa, quero deter-me de modo especial neste ponto.

Onde estão os filhos?

260. A família não pode renunciar a ser lugar de apoio, acompanhamento, guia, embora tenha de reinventar os seus métodos e encontrar novos recursos. Precisa considerar a que realidade quer expor os seus filhos. Para isso não deve deixar de se interrogar sobre quem se ocupa de lhes oferecer diversão e entretenimento, que conteúdo entra em suas casas através da televisão, do computador e dos celulares, a quem os entrega para que os guie nos seus tempos livres. Só

os momentos que passamos com eles, falando com simplicidade e carinho das coisas importantes, e as possibilidades sadias que criamos para ocuparem o seu tempo permitirão evitar uma nociva invasão. Sempre faz falta vigilância; o abandono nunca é sadio. Os pais devem orientar e alertar as crianças e os adolescentes para saberem enfrentar situações onde possa haver risco, por exemplo, de agressões, abuso ou consumo de droga.

261. A obsessão, porém, não é educativa; e também não é possível ter o controle de todas as situações em que um filho poderá chegar a encontrar-se. Vale aqui o princípio de que "o tempo é superior ao espaço",[291] isto é, trata-se mais de gerar processos que de dominar espaços. Se um progenitor está obcecado com saber onde está o seu filho e controlar todos os seus movimentos, procurará apenas dominar o seu espaço. Mas, desta forma, não o educará, não o reforçará, não o preparará para enfrentar os desafios. O que interessa acima de tudo é gerar no filho, com muito amor, processos de amadurecimento da sua liberdade, de preparação, de crescimento integral, de cultivo da autêntica autonomia. Só assim este filho terá em si mesmo os elementos de que precisa para saber defender-se e agir com inteligência e cautela em circunstâncias difíceis. Assim, a

---

[291] EG, n. 222.

grande questão não é onde está fisicamente o filho, com quem está neste momento, mas onde se encontra em sentido existencial, onde está posicionado do ponto de vista das suas convicções, dos seus objetivos, dos seus desejos, do seu projeto de vida. Por isso, eis as perguntas que faço aos pais: "Procuramos compreender 'onde' os filhos verdadeiramente estão no seu caminho? Sabemos onde está realmente a sua alma? E, sobretudo, queremos sabê-lo?".[292]

262. Se a maturidade fosse apenas o desenvolvimento de algo já contido no código genético, quase nada poderíamos fazer. Mas não é! A prudência, o reto juízo e a sensatez não dependem de fatores puramente quantitativos de crescimento, mas de toda uma cadeia de elementos que se sintetizam no íntimo da pessoa; mais exatamente, no centro da sua liberdade. É inevitável que cada filho nos surpreenda com os projetos que brotam desta liberdade, que rompa os nossos esquemas; e é bom que isto aconteça. A educação envolve a tarefa de promover liberdades responsáveis, que, nas encruzilhadas, saibam optar com sensatez e inteligência; pessoas que compreendam sem reservas que a sua vida e a vida da sua comunidade estão nas suas mãos e que esta liberdade é um dom imenso.

---

[292] FRANCISCO, *Catequese* (20 de maio de 2015): *L'Osservatore Romano* (ed. semanal portuguesa de 21/05/2015), 20.

A formação ética dos filhos

263. Os pais necessitam também da escola para assegurar uma instrução de base aos seus filhos, mas a formação moral deles nunca a podem delegar totalmente. O desenvolvimento afetivo e ético de uma pessoa requer uma experiência fundamental: crer que os próprios pais são dignos de confiança. Isto constitui uma responsabilidade educativa: com o carinho e o testemunho, gerar confiança nos filhos, inspirar-lhes um respeito amoroso. Quando um filho deixa de sentir que é preciso para seus pais, embora imperfeito, ou deixa de notar que nutrem uma sincera preocupação por ele, isto cria feridas profundas que causam muitas dificuldades no seu amadurecimento. Esta ausência, este abandono afetivo provoca um sofrimento mais profundo do que a eventual correção recebida por uma má ação.

264. A tarefa dos pais inclui uma educação da vontade e um desenvolvimento de hábitos bons e tendências afetivas para o bem. Isto implica que se apresentem como desejáveis os comportamentos a aprender e as tendências a fazer maturar. Mas trata-se sempre de um processo que vai da imperfeição para uma plenitude maior. O desejo de se adaptar à sociedade ou o hábito de renunciar a uma satisfação imediata para se adequar a uma norma e garantir uma boa convivência já é, em si mesmo, um valor inicial que cria disposições para se

elevar depois rumo a valores mais altos. A formação moral deveria realizar-se sempre com métodos ativos e com um diálogo educativo que integre a sensibilidade e a linguagem própria dos filhos. Além disso, esta formação deve ser realizada de forma indutiva, de modo que o filho possa chegar a descobrir por si mesmo a importância de determinados valores, princípios e normas, em vez de os impor como verdades indiscutíveis.

265. Para agir bem, não basta "julgar de modo adequado" ou saber com clareza o que se deve fazer, embora isso seja prioritário. Com efeito, muitas vezes somos incoerentes com as nossas próprias convicções, mesmo quando são sólidas. Há ocasiões em que, por mais que a consciência nos dite determinado juízo moral, têm mais poder outras coisas que nos atraem; isto acontece, se não conseguirmos que o bem individuado pela mente se radique em nós como uma profunda inclinação afetiva, como um gosto pelo bem que pese mais do que outros atrativos e nos faça perceber que aquilo que individuamos como bem é tal também "para nós" aqui e agora. Uma formação ética válida implica mostrar à pessoa como é conveniente, para ela mesma, agir bem. Muitas vezes, hoje, é ineficaz pedir algo que exija esforço e renúncias, sem mostrar claramente o bem que se poderia alcançar com isso.

266. É necessário maturar hábitos. Os próprios hábitos adquiridos em criança têm uma função positiva,

ajudando a traduzir em comportamentos externos sadios e estáveis os grandes valores interiorizados. Uma pessoa pode possuir sentimentos sociáveis e uma boa disposição para com os outros, mas se não foi habituada durante muito tempo, por insistência dos adultos, a dizer "por favor", "com licença", "obrigado", a tal boa disposição interior não se traduzirá facilmente nestas expressões. O fortalecimento da vontade e a repetição de determinadas ações constroem a conduta moral; mas, sem a repetição consciente, livre e elogiada de determinados comportamentos bons, nunca se chega a educar tal conduta. As motivações ou a atração que sentimos por um determinado valor não se tornam uma virtude sem estes atos adequadamente motivados.

267. A liberdade é algo de grandioso, mas podemos perdê-la. A educação moral é cultivar a liberdade através de propostas, motivações, aplicações práticas, estímulos, prêmios, exemplos, modelos, símbolos, reflexões, exortações, revisões do modo de agir e diálogos que ajudem as pessoas a desenvolver aqueles princípios interiores estáveis que movem a praticar espontaneamente o bem. A virtude é uma convicção que se transformou em um princípio interior e estável do agir. Assim, a vida virtuosa constrói a liberdade, fortifica-a e educa-a, evitando que a pessoa se torne escrava de inclinações compulsivas desumanizadoras e antissociais. Com efeito, a própria dignidade humana exige que

cada um "proceda segundo a própria consciência e por livre adesão, ou seja, movido e induzido pessoalmente a partir de dentro".[293]

O valor da sanção como estímulo

268. De igual modo, é indispensável sensibilizar a criança e o adolescente para se darem conta de que as más ações têm consequências. É preciso despertar a capacidade de colocar-se no lugar do outro e sentir pesar pelo seu sofrimento originado pelo mal que lhe fez. Algumas sanções – aos comportamentos antissociais agressivos – podem parcialmente cumprir esta finalidade. É importante orientar a criança, com firmeza, para que peça perdão e repare o mal causado aos outros. Quando o percurso educativo mostra os seus frutos em um amadurecimento da liberdade pessoal, em dado momento o próprio filho começará a reconhecer, com gratidão, que foi bom para ele crescer em uma família e também suportar as exigências impostas por todo o processo formativo.

269. A correção é um estímulo quando, ao mesmo tempo, se apreciam e reconhecem os esforços e quando o filho descobre que os seus pais conservam viva uma paciente confiança. Uma criança corrigida com amor

---

[293] GS, n. 17.

sente que foi levada em consideração, percebe que é alguém, dá-se conta de que seus pais reconhecem as suas potencialidades. Isto não exige que os pais sejam irrepreensíveis, mas que saibam reconhecer, com humildade, os seus limites e mostrem o seu esforço pessoal por ser melhores. Mas um testemunho de que os filhos precisam da parte dos pais, é que estes não se deixem levar pela ira. O filho, que comete uma má ação, deve ser corrigido, mas nunca como um inimigo ou como alguém sobre quem se descarrega a própria agressividade. Além disso, um adulto deve reconhecer que algumas más ações têm a ver com as fragilidades e os limites próprios da idade. Por isso, seria nociva uma atitude constantemente punitiva, porque não ajudaria a notar a diferente gravidade das ações e provocaria desânimo e exasperação: "Vós, pais, não provoqueis revolta nos vossos filhos" (Ef 6,4; cf. Cl 3,21).

270. Condição fundamental é que a disciplina não se transforme em uma mutilação do desejo, mas se torne um estímulo para ir sempre mais além. Como integrar disciplina e dinamismo interior? Como fazer para que a disciplina seja limite construtivo do caminho que uma criança deve empreender e não um muro que a aniquile ou uma dimensão da educação que a iniba? É preciso saber encontrar um equilíbrio entre dois extremos igualmente nocivos: um seria pretender construir um mundo à medida dos desejos do filho, que

cresceria sentindo-se sujeito de direitos, mas não de responsabilidades; o outro extremo seria levá-lo a viver sem consciência da sua dignidade, da sua identidade singular e dos seus direitos, torturado pelos deveres e submetido à realização dos desejos alheios.

Realismo paciente

271. A educação moral implica pedir a uma criança ou a um jovem apenas as coisas que não representem, para eles, um sacrifício desproporcionado, exigir-lhes apenas a dose de esforço que não provoque ressentimento ou ações puramente forçadas. O percurso normal é propor pequenos passos que possam ser compreendidos, aceitos e apreciados, e impliquem uma renúncia proporcionada. Caso contrário, pedindo demais, nada se obtém. A pessoa, logo que puder livrar-se da autoridade, provavelmente deixará de praticar o bem.

272. Por vezes, a formação ética provoca desprezo devido a experiências de abandono, desilusão, carência afetiva, ou a uma má imagem dos pais. Projetam-se sobre os valores éticos as imagens distorcidas das figuras do pai e da mãe ou as fraquezas dos adultos. Por isso, é preciso ajudar os adolescentes a porem em prática a analogia: os valores são cumpridos perfeitamente por algumas pessoas muito exemplares, mas também se realizam de forma imperfeita e em diferentes graus. E

uma vez que as resistências dos jovens estão muito ligadas a experiências negativas, é preciso ao mesmo tempo ajudá-los a percorrer um itinerário de cura deste mundo interior ferido, para poderem ter acesso à compreensão e à reconciliação com as pessoas e com a sociedade.

273. Quando se propõe os valores, é preciso fazê-lo pouco a pouco, avançar de maneira diferente segundo a idade e as possibilidades concretas das pessoas, sem pretender aplicar metodologias rígidas e imutáveis. A psicologia e as ciências da educação, com suas valiosas contribuições, mostram que é necessário um processo gradual para se conseguir mudanças de comportamento e também que a liberdade precisa de ser orientada e estimulada, porque, abandonando-a, não se garante o seu amadurecimento. A liberdade efetiva, real, é limitada e condicionada. Não é uma pura capacidade de escolher o bem, com total espontaneidade. Nem sempre se faz uma distinção adequada entre ato "voluntário" e ato "livre". Uma pessoa pode querer algo de mal com uma grande força de vontade, mas por causa de uma paixão irresistível ou de uma educação deficiente. Neste caso, a sua decisão é fortemente voluntária, não contradiz a inclinação da sua vontade, mas não é livre, porque lhe resulta quase impossível não escolher aquele mal. É o que acontece com um dependente compulsivo da droga: quando a quer, a quer com todas as suas forças, está tão condicionado que, na hora, não é capaz de tomar outra

decisão. Portanto, a sua decisão é voluntária, mas não livre. Não tem sentido "deixá-lo escolher livremente", porque, de fato, não pode escolher, e expô-lo à droga só aumenta a dependência. Precisa da ajuda dos outros e de um percurso educativo.

A vida familiar como contexto educativo

274. A família é a primeira escola dos valores humanos, na qual se aprende o bom uso da liberdade. Há inclinações maturadas na infância, que impregnam o íntimo de uma pessoa e permanecem toda a vida como uma inclinação favorável a um valor ou como uma rejeição espontânea de certos comportamentos. Muitas pessoas atuam a vida inteira de uma determinada forma, porque consideram válida tal forma de agir, que assimilaram desde a infância, como que por osmose: "Fui ensinado assim"; "isto é o que me inculcaram". No âmbito familiar, pode-se aprender também a discernir, criticamente, as mensagens dos vários meios de comunicação. Muitas vezes, infelizmente, alguns programas televisivos ou algumas formas de publicidade incidem negativamente e enfraquecem valores recebidos na vida familiar.

275. Na época atual, em que reina a ansiedade e a pressa tecnológica, uma tarefa importantíssima das famílias é educar para a capacidade de esperar. Não se

trata de proibir as crianças de jogarem com os dispositivos eletrônicos, mas de encontrar a forma de gerar nelas a capacidade de diferenciarem as diversas lógicas e não aplicarem a velocidade digital a todas as áreas da vida. O adiamento não é negar o desejo, mas retardar a sua satisfação. Quando as crianças ou os adolescentes não são educados para aceitar que algumas coisas devem esperar, tornam-se prepotentes, submetem tudo à satisfação das suas necessidades imediatas e crescem com o vício do "tudo e imediatamente". Este é um grande engano que não favorece a liberdade; antes, intoxica-a. Ao contrário, quando se educa para aprender a adiar algumas coisas e esperar o momento oportuno, ensina-se o que significa ser senhor de si mesmo, autônomo face aos seus próprios impulsos. Assim, quando a criança experimenta que pode cuidar de si mesma, enriquece a própria autoestima. Ao mesmo tempo, isto ensina-lhe a respeitar a liberdade dos outros. Naturalmente isto não significa pretender que as crianças ajam como adultos, mas também não se deve subestimar a sua capacidade de crescer no amadurecimento de uma liberdade responsável. Em uma família sã, esse aprendizado realiza-se de forma normal através das exigências da convivência.

276. A família é o âmbito da socialização primária, porque é o primeiro lugar onde se aprende a relacionar-se com o outro, a escutar, partilhar, suportar,

respeitar, ajudar, conviver. A tarefa educativa deve levar a sentir o mundo e a sociedade como "ambiente familiar": é uma educação para saber "habitar" mais além dos limites da própria casa. No contexto familiar, ensina-se a recuperar a proximidade, o cuidado, a saudação. É lá que se rompe o primeiro círculo do egoísmo mortífero, fazendo-nos reconhecer que vivemos junto de outros, com outros, que são dignos da nossa atenção, da nossa gentileza, do nosso afeto. Não há vínculo social sem esta primeira dimensão cotidiana, quase microscópica: conviver na proximidade, cruzando-nos nos vários momentos do dia, preocupando-nos com o que interessa a todos, socorrendo-nos mutuamente nas pequenas coisas do dia a dia. A família tem de inventar, todos os dias, novas formas de promover o reconhecimento mútuo.

277. No ambiente familiar, é possível também repensar os hábitos de consumo, cuidando juntos da casa comum: "A família é a protagonista de uma ecologia integral, porque constitui o sujeito social primário, que contém no seu interior os dois princípios-base da civilização humana sobre a terra: o princípio da comunhão e o princípio da fecundidade".[294] De igual modo, podem ser muito educativos os momentos difíceis e duros da vida familiar. É o que acontece, por exemplo, quando

---

[294] FRANCISCO, *Catequese* (30 de setembro de 2015): *L'Osservatore Romano* (ed. semanal portuguesa de 1º/10/2015), 24.

chega uma doença, porque, "diante da doença, até em família surgem dificuldades, por causa da debilidade humana. Mas, em geral, o tempo da enfermidade faz aumentar a força dos vínculos familiares. (…) Uma educação que negligencie a sensibilidade pela doença humana, torna árido o coração. E deixa os jovens 'anestesiados' em relação ao sofrimento do próximo, incapazes de se confrontar com o sofrimento e de viver a experiência do limite".[295]

278. O encontro educativo entre pais e filhos pode ser facilitado ou prejudicado pelas tecnologias de comunicação e distração, cada vez mais sofisticadas. Bem utilizadas, podem ser úteis para pôr em contato os membros da família que vivem longe. Os contatos podem ser frequentes e ajudar a resolver dificuldades.[296] Mas deve ficar claro que não substituem nem preenchem a necessidade do diálogo mais pessoal e profundo que requer o contato físico ou, pelo menos, a voz da outra pessoa. Sabemos que, às vezes, estes meios afastam em vez de aproximar, como quando, na hora da refeição, cada um está concentrado no seu celular ou quando um dos cônjuges adormece à espera do outro que passa horas entretido com algum dispositivo eletrônico. Na família, também isto deve ser motivo de diálogo e de

---

[295] FRANCISCO, *Catequese* (10 de junho de 2015): *L'Osservatore Romano* (ed. semanal portuguesa de 11/07/2015), 16.
[296] Cf. *Relatio Finalis* 2015, n. 67.

acordos que permitam dar prioridade ao encontro dos seus membros sem cair em proibições insensatas. Em todo o caso, não se podem ignorar os riscos das novas formas de comunicação para as crianças e os adolescentes, chegando às vezes a torná-los apáticos, desligados do mundo real. Este "autismo tecnológico" expõe-nos mais facilmente às manipulações daqueles que procuram entrar na sua intimidade com interesses egoístas.

279. Mas também não é bom que os pais se tornem seres onipotentes para seus filhos, de modo que estes só poderiam confiar neles, porque assim impedem um processo adequado de socialização e amadurecimento afetivo. Para tornar eficaz o prolongamento da paternidade e da maternidade para uma realidade mais ampla, "as comunidades cristãs são chamadas a dar o seu apoio à missão educativa das famílias",[297] particularmente através da catequese de iniciação. Para favorecer uma educação integral, precisamos "reavivar a aliança entre a família e a comunidade cristã".[298] O Sínodo quis destacar a importância das escolas católicas, que "desempenham uma função vital na assistência aos pais, no seu dever de educar os filhos. (…) As escolas católicas deveriam ser encorajadas na sua missão de

---

[297] FRANCISCO, *Catequese* (20 de maio de 2015): *L'Osservatore Romano* (ed. semanal portuguesa de 21/05/2015), 20.

[298] FRANCISCO, *Catequese* (9 de setembro de 2015): *L'Osservatore Romano* (ed. semanal portuguesa de 10/09/2015), 16.

ajudar os alunos a crescer como adultos maduros que podem ver o mundo através do olhar de amor de Jesus e que compreendem a vida como um chamamento ao serviço de Deus".[299] Para isso "há que se afirmar com determinação a liberdade da Igreja de ensinar a sua doutrina e o direito à objeção de consciência por parte dos educadores".[300]

Sim à educação sexual

280. O Concílio Vaticano II apresentava a necessidade de "uma educação sexual positiva e prudente" oferecida às crianças e adolescentes "à medida que vão crescendo" e "levando em conta os progressos da psicologia, pedagogia e didática".[301] Deveríamos perguntar-nos se as nossas instituições educativas assumiram este desafio. É difícil pensar na educação sexual em um tempo em que se tende a banalizar e empobrecer a sexualidade. Só se poderia entender no contexto de uma educação para o amor, para a doação mútua; assim, a linguagem da sexualidade não acabaria tristemente empobrecida, mas esclarecida. É possível cultivar o impulso sexual em um percurso de conhecimento de si mesmo e no desenvolvimento de uma capacidade de

---

[299] *Relatio Finalis* 2015, n. 68.
[300] Ibidem, n. 58.
[301] GE, n. 1.

autodomínio, que podem ajudar a trazer à luz capacidades preciosas de alegria e encontro amoroso.

281. A educação sexual oferece informação, mas sem esquecer que as crianças e os jovens ainda não alcançaram plena maturidade. A informação deve chegar no momento apropriado e de forma adequada à fase que vivem. Não é útil saturá-los de dados, sem o desenvolvimento do sentido crítico perante uma invasão de propostas, perante a pornografia descontrolada e a sobrecarga de estímulos que podem mutilar a sexualidade. Os jovens devem poder dar-se conta de que são bombardeados por mensagens que não procuram o seu bem e o seu amadurecimento. Faz falta ajudá-los a identificar e procurar as influências positivas, ao mesmo tempo que se afastam de tudo o que desfigura a sua capacidade de amar. De igual modo, devemos aceitar que "a necessidade de uma linguagem nova e mais adequada apresenta-se antes de tudo no momento de introduzir as crianças e os adolescentes ao tema da sexualidade".[302]

282. Tem um valor imenso uma educação sexual que prime por um são pudor, embora hoje alguns considerem que é questão de outros tempos. É uma defesa natural da pessoa que resguarda a sua interioridade e evita ser transformada em mero objeto. Sem o pudor,

---

[302] *Relatio Finalis* 2015, n. 56.

podemos reduzir o afeto e a sexualidade a obsessões que nos concentram apenas nos órgãos genitais, em práticas doentias que deformam a nossa capacidade de amar e em várias formas de violência sexual que nos levam a ser tratados de forma desumana ou a prejudicar os outros.

283. Frequentemente a educação sexual concentra-se no convite a "proteger-se", procurando um "sexo seguro". Estas expressões transmitem uma atitude negativa a respeito da finalidade procriadora natural da sexualidade, como se um possível filho fosse um inimigo de que é preciso proteger-se. Deste modo, promove-se a agressividade narcisista, em vez do acolhimento. É irresponsável qualquer convite aos adolescentes para que brinquem com os seus corpos e desejos, como se tivessem a maturidade, os valores, o compromisso mútuo e os objetivos próprios do matrimônio. Assim, são levianamente encorajados a utilizar a outra pessoa como objeto de experiências para compensar carências e grandes limites. É importante, pelo contrário, ensinar um percurso pelas diversas expressões do amor, o cuidado mútuo, a ternura respeitosa, a comunicação rica de sentido. Com efeito, tudo isto prepara para uma doação íntegra e generosa de si mesmo que se expressará, depois de um compromisso público, na entrega dos corpos. Assim a união sexual no matrimônio aparecerá como sinal de um compromisso totalizante, enriquecido por todo o caminho anterior.

284. É preciso não enganar os jovens, levando-os a confundir os planos: a atração "cria, por um momento, a ilusão da 'união', mas, sem amor, tal união deixa os desconhecidos tão separados como antes".[303] A linguagem do corpo requer um aprendizado paciente que permita interpretar e educar os próprios desejos em ordem a uma entrega de verdade. Quando se pretende entregar tudo de uma vez, é possível que não se entregue nada. Uma coisa é compreender as fragilidades da idade ou as suas confusões, outra é encorajar os adolescentes a prolongarem a imaturidade da sua forma de amar. Mas, quem fala hoje destas coisas? Quem é capaz de levar os jovens a sério? Quem os ajuda a preparar-se seriamente para um amor grande e generoso? Não se leva a sério a educação sexual.

285. A educação sexual deveria incluir também o respeito e a valorização da diferença, que mostra a cada um a possibilidade de superar o confinamento nos próprios limites para se abrir à aceitação do outro. Para além de compreensíveis dificuldades que cada um possa viver, é preciso ajudar a aceitar o seu corpo como foi criado, porque "uma lógica de domínio sobre o próprio corpo transforma-se em uma lógica, por vezes sutil, de domínio sobre a criação. (…) Também é necessário ter apreço pelo próprio corpo na sua feminilidade ou

---

[303] Erich Fromm, *The Art of Loving* (Nova York 1956), 54.

masculinidade, para se poder reconhecer a si mesmo no encontro com o outro que é diferente. Assim, é possível aceitar com alegria o dom específico do outro ou da outra, obra de Deus criador, e enriquecer-se mutuamente".[304] Só perdendo o medo à diferença é que uma pessoa pode chegar a libertar-se da imanência do próprio ser e do êxtase por si mesmo. A educação sexual deve ajudar a aceitar o próprio corpo, de modo que a pessoa não pretenda "cancelar a diferença sexual, porque já não sabe confrontar-se com ela".[305]

286. Também não se pode ignorar que, na configuração do próprio modo de ser – feminino ou masculino –, não confluem apenas fatores biológicos ou genéticos, mas uma multiplicidade de elementos que têm a ver com o temperamento, a história familiar, a cultura, as experiências vividas, a formação recebida, as influências de amigos, familiares e pessoas admiradas, e outras circunstâncias concretas que exigem um esforço de adaptação. É verdade que não podemos separar o que é masculino e feminino da obra criada por Deus, que é anterior a todas as nossas decisões e experiências e na qual existem elementos biológicos que é impossível ignorar. Mas também é verdade que o masculino e o feminino não são qualquer coisa de rígido. Por isso é

---

[304] LS, n. 155.

[305] FRANCISCO, *Catequese* (15 de abril de 2015): *L'Osservatore Romano* (ed. semanal portuguesa de 16/04/2015), 20.

possível, por exemplo, que o modo de ser masculino do marido possa adaptar-se de maneira flexível à condição laboral da esposa; o fato de assumir tarefas domésticas ou alguns aspectos da criação dos filhos não o torna menos masculino nem significa um fracasso, uma capitulação ou uma vergonha. É preciso ajudar as crianças a aceitar como normais estes "intercâmbios" sadios que não tiram dignidade alguma à figura paterna. A rigidez torna-se um exagero do masculino ou do feminino, e não educa as crianças e os jovens para a reciprocidade encarnada nas condições reais do matrimônio. Tal rigidez, por seu lado, pode impedir o desenvolvimento das capacidades de cada um, tendo-se chegado ao ponto de considerar pouco masculino dedicar-se à arte ou à dança e pouco feminino desempenhar alguma tarefa de chefia. Graças a Deus, isto mudou; mas, em alguns lugares, certas ideias inadequadas continuam a condicionar a legítima liberdade e a mutilar o autêntico desenvolvimento da identidade concreta dos filhos e das suas potencialidades.

Transmitir a fé

287. A educação dos filhos deve estar marcada por um percurso de transmissão da fé, que se vê dificultado pelo estilo de vida atual, pelos horários de trabalho, pela complexidade do mundo atual, onde

muitos têm um ritmo frenético para poder sobreviver.[306] Apesar disso, a família deve continuar a ser lugar onde se ensina a perceber as razões e a beleza da fé, a rezar e a servir o próximo. Isto começa no batismo, no qual – como dizia Santo Agostinho – as mães que levam os seus filhos "cooperam no parto santo".[307] Depois, tem início o percurso de crescimento desta vida nova. A fé é dom de Deus, recebido no batismo, e não o resultado de uma ação humana; mas os pais são instrumentos de Deus para o seu amadurecimento e desenvolvimento. Por isso, "é bonito quando as mães ensinam os filhos pequenos a enviar um beijo a Jesus ou a Nossa Senhora. Quanta ternura há nisto! Naquele momento, o coração das crianças transforma-se em lugar de oração".[308] A transmissão da fé pressupõe que os pais vivam a experiência real de confiar em Deus, de procurá-Lo, de precisar d'Ele, porque só assim "uma geração conta à outra as tuas obras [de Deus] anunciam as tuas maravilhas" (Sl 145/144,4) e "cada pai contará a seus filhos teus gestos de amor sempre fiel" (Is 38,19). Isto requer que imploremos a ação de Deus nos corações, aonde não podemos chegar. O grão de mostarda, semente tão pequenina, transforma-se em um grande

---

[306] Cf. *Relatio Finalis* 2015, n. 13-14.

[307] *De sancta virginitate*, 7, 7: *PL* 40, 400.

[308] FRANCISCO, *Catequese* (26 de agosto de 2015): *L'Osservatore Romano* (ed. semanal portuguesa de 27/08/2015), 12.

arbusto (cf. Mt 13,31-32), e, deste modo, reconhecemos a desproporção entre a ação e o seu efeito. Sabemos, assim, que não somos proprietários do dom, mas seus solícitos administradores. Entretanto, o nosso esforço criativo é uma oferta que nos permite colaborar com a iniciativa divina. Por isso, "tenha-se o cuidado de valorizar os casais, as mães e os pais, como protagonistas ativos da catequese (…). A catequese familiar serve de grande ajuda, como método eficaz para formar os jovens pais e para os tornar conscientes da sua missão de evangelizadores da própria família".[309]

288. A educação na fé sabe adaptar-se a cada filho; porque os recursos aprendidos ou as receitas às vezes não funcionam. As crianças precisam de símbolos, gestos, narrações. Os adolescentes habitualmente entram em crise com a autoridade e com as normas, pelo que é conveniente estimular as suas experiências pessoais de fé e oferecer-lhes testemunhos luminosos que se imponham simplesmente pela sua beleza. Os pais, que querem acompanhar a fé dos seus filhos, estão atentos às suas mudanças, porque sabem que a experiência espiritual não se impõe, mas propõe-se à sua liberdade. É fundamental que os filhos vejam de maneira concreta que, para os seus pais, a oração é realmente importante. Por isso, os momentos de oração

---

[309] *Relatio Finalis* 2015, n. 89.

em família e as expressões da piedade popular podem ter mais força evangelizadora do que todas as catequeses e todos os discursos. Quero exprimir a minha gratidão de forma especial a todas as mães que rezam incessantemente, como fazia Santa Mônica, pelos filhos que se afastaram de Cristo.

289. O exercício de transmitir aos filhos a fé, no sentido de facilitar a sua expressão e crescimento, permite que a família se torne evangelizadora e, espontaneamente, comece a transmiti-la a todos os que se aproximam dela e mesmo fora do próprio ambiente familiar. Os filhos que crescem em famílias missionárias, frequentemente tornam-se missionários, se os pais sabem viver esta tarefa de uma maneira tal que os outros os sintam vizinhos e amigos, de tal modo que os filhos cresçam neste estilo de relação com o mundo, sem renunciar à sua fé nem às suas convicções. Lembremo-nos de que o próprio Jesus comia e bebia com os pecadores (cf. Mc 2,16; Mt 11,19), podia deter-se a conversar com a Samaritana (cf. Jo 4,7-26) e receber de noite Nicodemos (cf. Jo 3,1-21), deixava ungir os seus pés por uma mulher prostituta (cf. Lc 7,36-50) e não hesitava em tocar os doentes (cf. Mc 1,40-45; 7,33). E o mesmo faziam os seus apóstolos, que não eram pessoas que desprezavam os outros, fechadas em pequenos grupos de eleitos, isoladas da vida do seu povo. Enquanto as autoridades os perseguiam, eles gozavam da simpatia de todo o povo (cf. At 2,47; 4,21.33; 5,13).

290. "A família constitui-se como protagonista da ação pastoral através do anúncio explícito do Evangelho e da herança de múltiplas formas de testemunho: a solidariedade para com os pobres, a abertura à diversidade das pessoas, a preservação da criação, a solidariedade moral e material para com as demais famílias, principalmente para com as mais necessitadas, o esforço pela promoção do bem comum, também mediante a transformação das estruturas sociais injustas, a partir do espaço no qual ela vive, pondo em prática as obras de misericórdia corporais e espirituais".[310] Isto deve ser feito no contexto da convicção mais preciosa dos cristãos: o amor do Pai que nos sustenta e faz crescer, manifestado no dom total de Jesus Cristo, vivo no meio de nós, que nos torna capazes de enfrentar, unidos, todas as tempestades e todas as etapas da vida. E, no coração de cada família, deve ressoar também o querigma, a tempo e fora de tempo, para iluminar o caminho. Todos deveríamos poder dizer, a partir da vivência nas nossas famílias: "Nós, que cremos, reconhecemos o amor que Deus tem para conosco" (1Jo 4,16). Só a partir desta experiência é que a pastoral familiar poderá conseguir que as famílias sejam simultaneamente igrejas domésticas e fermento evangelizador na sociedade.

---

[310] Ibidem, n. 93.

Capítulo VIII
ACOMPANHAR, DISCERNIR E INTEGRAR A FRAGILIDADE

291. Os Padres sinodais afirmaram que, embora a Igreja reconheça que toda a ruptura do vínculo matrimonial "é contra a vontade de Deus, está consciente também da fragilidade de muitos dos seus filhos".[311] Iluminada pelo olhar de Cristo, a Igreja "dirige-se com amor àqueles que participam na sua vida de modo incompleto, reconhecendo que a graça de Deus também atua nas suas vidas, dando-lhes a coragem para fazer o bem, cuidar com amor um do outro e estar ao serviço da comunidade onde vivem e trabalham".[312] Aliás esta atitude vê-se corroborada no contexto de um Ano Jubilar dedicado à misericórdia. Embora não cesse jamais de propor a perfeição e convidar a uma resposta mais plena a Deus, "a Igreja deve acompanhar, com atenção e solicitude, os seus filhos mais frágeis, marcados pelo amor ferido e extraviado, dando-lhes de novo confiança e esperança, como a luz do farol de um porto ou de uma

---
[311] *Relatio Synodi* 2014, n. 24.
[312] Ibidem, n. 25.

tocha acesa no meio do povo para iluminar aqueles que perderam a rota ou estão no meio da tempestade".[313] Não esqueçamos que, muitas vezes, o trabalho da Igreja é semelhante ao de um hospital de campanha.

292. O matrimônio cristão, reflexo da união entre Cristo e a sua Igreja, realiza-se plenamente na união entre um homem e uma mulher, que se doam reciprocamente com um amor exclusivo e livre fidelidade, se pertencem até a morte e abrem à transmissão da vida, consagrados pelo sacramento que lhes confere a graça para se constituírem como igreja doméstica e serem fermento de vida nova para a sociedade. Algumas formas de união contradizem radicalmente este ideal, enquanto outras o realizam pelo menos de forma parcial e analógica. Os Padres sinodais afirmaram que a Igreja não deixa de valorizar os elementos construtivos nas situações que ainda não correspondem ou já não correspondem à sua doutrina sobre o matrimônio.[314]

A gradualidade na pastoral

293. Os Padres consideraram também a situação particular de um matrimônio apenas civil ou mesmo, ressalvadas as distâncias, da mera convivência: "quando

---

[313] Ibidem, n. 28.
[314] Cf. ibidem, n. 41.43; *Relatio Finalis* 2015, n. 70.

a união atinge uma notável estabilidade através de um vínculo público e se caracteriza por um afeto profundo, responsabilidade para com a prole, capacidade de superar as provas, pode ser vista como uma ocasião a acompanhar na sua evolução para o sacramento do matrimônio".[315] Além disso, é preocupante que hoje muitos jovens não tenham confiança no matrimônio e convivam adiando indefinidamente o compromisso conjugal, enquanto outros põem fim ao compromisso assumido e imediatamente instauram um novo. Aqueles "que fazem parte da Igreja, precisam de uma atenção pastoral misericordiosa e encorajadora".[316] Com efeito, aos pastores compete não só a promoção do matrimônio cristão, mas também "o discernimento pastoral das situações de muitas pessoas que deixaram de viver esta realidade", para "entrar em diálogo pastoral com elas a fim de evidenciar os elementos da sua vida que possam levar a uma maior abertura ao Evangelho do matrimônio na sua plenitude".[317] No discernimento pastoral, convém "identificar elementos que possam favorecer a evangelização e o crescimento humano e espiritual".[318]

294. "A escolha do matrimônio civil ou, em diversos casos, da simples convivência, muitas vezes

---

[315] *Relatio Synodi* 2014, n. 27.
[316] Ibidem, n. 26.
[317] Ibidem, n. 41.
[318] Idem.

é motivada não por preconceitos nem por resistências no que se refere à união sacramental, mas por situações culturais ou ocasionais".[319] Nestas situações, poderão ser valorizados os sinais de amor que refletem de algum modo o amor de Deus.[320] Sabemos que "está em contínuo crescimento o número daqueles que, depois de terem vivido juntos longo tempo, pedem a celebração do matrimônio na Igreja. Muitas vezes, escolhe-se a simples convivência por causa da mentalidade geral contrária às instituições e aos compromissos definitivos, mas também porque se espera adquirir maior segurança existencial (emprego e salário fixo). Em outros países, por último, as uniões de fato são muito numerosas, não só pela rejeição dos valores da família e do matrimônio, mas sobretudo pelo fato de a cerimônia do casamento ser sentida como um luxo, pelas condições sociais, de modo que a miséria material impele a viver uniões de fato".[321] Mas "é preciso enfrentar todas estas situações de forma construtiva, procurando transformá-las em oportunidades de caminho para a plenitude do matrimônio e da família à luz do Evangelho. Trata-se de acolhê-las e acompanhá-las com paciência e delicadeza".[322] Foi o que Jesus fez com a Samaritana (cf. Jo 4,1-26):

---

[319] *Relatio Finalis* 2015, n. 71.
[320] Cf. idem.
[321] *Relatio Synodi* 2014, n. 42.
[322] Ibidem, n. 43.

dirigiu uma palavra ao seu desejo de amor verdadeiro, para a libertar de tudo o que obscurecia a sua vida e guiá-la para a alegria plena do Evangelho.

295. Nesta linha, São João Paulo II propunha a chamada "lei da gradualidade", ciente de que o ser humano "conhece, ama e cumpre o bem moral segundo diversas etapas de crescimento".[323] Não é uma "gradualidade da lei", mas uma gradualidade no exercício prudencial dos atos livres em sujeitos que não estão em condições de compreender, apreciar ou praticar plenamente as exigências objetivas da lei. Com efeito, também a lei é dom de Deus, que indica o caminho; um dom para todos sem exceção, que se pode viver com a força da graça, embora cada ser humano "avance gradualmente com a progressiva integração dos dons de Deus e das exigências do seu amor definitivo e absoluto em toda a vida pessoal e social".[324]

O discernimento das situações chamadas "irregulares"[325]

296. O Sínodo referiu-se a diferentes situações de fragilidade ou imperfeição. A este respeito, quero

---

[323] FC, n. 34.

[324] Ibidem, n. 9: o. c., 90.

[325] Cf. FRANCISCO, *Catequese* (24 de junho de 2015): *L'Osservatore Romano* (ed. semanal portuguesa de 25/07/2015), 12.

lembrar aqui uma coisa que pretendi propor, com clareza, a toda a Igreja para não nos equivocarmos no caminho: "Duas lógicas percorrem toda a história da Igreja: marginalizar e reintegrar. (…) O caminho da Igreja, desde o Concílio de Jerusalém em diante, é sempre o de Jesus: o caminho da misericórdia e da integração. (…) O caminho da Igreja é o de não condenar eternamente ninguém; derramar a misericórdia de Deus sobre todas as pessoas que a pedem com coração sincero (…). Porque a caridade verdadeira é sempre imerecida, incondicional e gratuita".[326] Por isso, "é preciso evitar juízos que não levam em consideração a complexidade das diversas situações e é necessário prestar atenção ao modo como as pessoas vivem e sofrem por causa da sua condição".[327]

297. Trata-se de integrar a todos, deve-se ajudar cada um a encontrar a sua própria maneira de participar na comunidade eclesial, para que se sinta objeto de uma misericórdia "imerecida, incondicional e gratuita". Ninguém pode ser condenado para sempre, porque esta não é a lógica do Evangelho! Não me refiro só aos divorciados que vivem em uma nova união, mas a todos seja qual for a situação em que se encontrem. Obviamente, se alguém ostenta um pecado objetivo como se fizesse

---

[326] FRANCISCO, *Homilia na Eucaristia celebrada com os novos Cardeais* (15 de fevereiro de 2015): *AAS* 107 (2015), 257.
[327] *Relatio Finalis* 2015, n. 51.

parte do ideal cristão ou quer impor algo diferente do que a Igreja ensina, não pode pretender dar catequese ou pregar e, neste sentido, há algo que o separa da comunidade (cf. Mt 18,17). Precisa voltar a ouvir o anúncio do Evangelho e o convite à conversão. Mas, mesmo para esta pessoa, pode haver alguma maneira de participar na vida da comunidade, quer em tarefas sociais, quer em reuniões de oração, quer na forma que lhe possa sugerir a sua própria iniciativa discernida juntamente com o pastor. Quanto ao modo de tratar as várias situações chamadas "irregulares", os Padres sinodais chegaram a um consenso geral que eu sustento: "Na abordagem pastoral das pessoas que contraíram matrimônio civil, que são divorciadas novamente casadas, ou que simplesmente convivem, compete à Igreja revelar-lhes a pedagogia divina da graça nas suas vidas e ajudá-las a alcançar a plenitude do desígnio que Deus tem para elas",[328] sempre possível com a força do Espírito Santo.

298. Os divorciados que vivem em uma nova união, por exemplo, podem encontrar-se em situações muito diferentes, que não devem ser catalogadas ou fechadas em afirmações demasiado rígidas, sem deixar espaço para um adequado discernimento pessoal e pastoral. Uma coisa é uma segunda união consolidada no tempo, com novos filhos, com fidelidade comprovada,

---

[328] *Relatio Synodi* 2014, n. 25.

dedicação generosa, compromisso cristão, consciência da irregularidade da sua situação e grande dificuldade para voltar atrás sem sentir, em consciência, que se cairia em novas culpas. A Igreja reconhece a existência de situações em que "o homem e a mulher, por motivos sérios – como, por exemplo, a educação dos filhos –, não se podem separar".[329] Há também o caso dos que fizeram grandes esforços para salvar o primeiro matrimônio e sofreram um abandono injusto, ou o caso daqueles que "contraíram uma segunda união em vista da educação dos filhos, e, às vezes, estão subjetivamente certos em consciência de que o precedente matrimônio, irremediavelmente destruído, nunca tinha sido válido".[330] Coisa diferente, porém, é uma nova união que vem de um divórcio recente, com todas as consequências de sofrimento e confusão que afetam os filhos e famílias inteiras, ou a situação de alguém que faltou repetidamente aos seus compromissos familiares. Deve ficar claro que este não é o ideal que o Evangelho propõe para o matrimônio e a família. Os Padres sinodais afirmaram que o discernimento dos pastores sempre se deve fazer "distinguindo adequadamente",[331]

---

[329] FC, n. 84. Nestas situações, muitos, conhecendo e aceitando a possibilidade de conviver "como irmão e irmã" que a Igreja lhes oferece, assinalam que, se faltam algumas expressões de intimidade, "não raro se põe em risco a fidelidade e se compromete o bem da prole" (GS, n. 51).

[330] FC, n. 84.

[331] *Relatio Synodi* 2014, n. 26.

com um olhar que discirna bem as situações.[332] Sabemos que não existem "receitas simples".[333]

299. Acolho as considerações de muitos Padres sinodais que quiseram afirmar que "os batizados que são divorciados e recasados devem ser integrados mais intensamente nas comunidades cristãs, de várias maneiras possíveis, evitando todas as ocasiões de escândalo. A lógica da integração constitui a chave do seu acompanhamento pastoral, para que não somente saibam pertencem ao Corpo de Cristo que é a Igreja, mas possam fazer uma experiência feliz e fecunda da mesma. São batizados, são irmãos e irmãs, e o Espírito Santo derrama sobre eles dons e carismas para o bem de todos. A sua participação pode manifestar-se em diferentes serviços eclesiais: por isso, é necessário discernir quais das diversas formas de exclusão atualmente praticadas nos âmbitos litúrgico, pastoral, educativo e institucional, podem ser superadas. Eles não apenas não devem sentir-se excomungados, mas podem viver e amadurecer como membros vivos da Igreja, sentindo-a como uma mãe que os recebe sempre, que cuida deles com carinho e que os anima no caminho da vida e do Evangelho. Esta integração é necessária também em

---

[332] Cf. ibidem, n. 45.

[333] BENTO XVI, *Discurso no VII Encontro Mundial das Famílias, em Milão (2 de junho de 2012), resposta 5: Insegnamenti*, 8/1 (2012), 691; *L'Osservatore Romano* (ed. semanal portuguesa de 09/06/2012), 11.

ordem ao cuidado e à educação cristã dos seus filhos, que devem ser considerados os mais importantes".[334]

300. Se se levar em conta a variedade inumerável de situações concretas, como as que mencionamos antes, é compreensível que se não devia esperar do Sínodo ou desta Exortação uma nova normativa geral de tipo canônico, aplicável a todos os casos. É possível apenas um novo encorajamento a um responsável discernimento pessoal e pastoral dos casos particulares, que deveria reconhecer: uma vez que "o grau de responsabilidade não é igual em todos os casos",[335] as consequências ou efeitos de uma norma não devem necessariamente ser sempre os mesmos.[336] Os sacerdotes têm o dever de "acompanhar as pessoas interessadas no caminho do discernimento, em conformidade com o ensinamento da Igreja e com as orientações do bispo. Neste processo, será útil fazer um exame de consciência, através de momentos de reflexão e de arrependimento. Os divorciados recasados deveriam interrogar-se como se comportaram em relação aos seus filhos, quando a união conjugal entrou em crise; se houve tentativas de

---

[334] *Relatio Finalis* 2015, n. 84.

[335] Ibidem, n. 51.

[336] E também não devem ser sempre os mesmos na aplicação da disciplina sacramental, dado que o discernimento pode reconhecer que, em uma situação particular, não há culpa grave. Neste caso, aplica-se o que afirmei noutro documento: cf. EG, n. 44.47.

reconciliação; qual é a situação do parceiro abandonado; quais são as consequências da nova relação sobre o restante da família e sobre a comunidade dos fiéis; e que exemplo ela oferece aos jovens que se devem preparar para o matrimônio. Uma reflexão sincera pode fortalecer a confiança na misericórdia de Deus, que a ninguém deve ser rejeitada".[337] Trata-se de um itinerário de acompanhamento e discernimento que "orienta estes fiéis para a tomada de consciência da sua situação perante Deus. O diálogo com o sacerdote, no foro interno, concorre para a formação de um juízo reto sobre aquilo que impede a possibilidade de uma participação mais plena na vida da Igreja e sobre os passos que podem favorecê-la e levá-la a crescer. Visto que na própria lei não existe graduação (cf. FC, n. 34), este discernimento nunca poderá prescindir da verdade e da caridade do Evangelho, propostas pela Igreja. Para que isto se verifique, devem ser garantidas as necessárias condições de humildade, discrição, amor à Igreja e ao seu ensinamento, na busca sincera da vontade de Deus e no desejo de chegar a uma resposta mais perfeita possível à mesma".[338] Estas atitudes são fundamentais para evitar o grave risco de mensagens equivocadas, como a ideia de que algum sacerdote pode conceder rapidamente "exceções", ou de que há pessoas

---

[337] *Relatio Finalis* 2015, n. 85.
[338] Ibidem, n. 86.

que podem obter privilégios sacramentais em troca de favores. Quando uma pessoa responsável e discreta, que não pretende colocar os seus desejos acima do bem comum da Igreja, se encontra com um pastor que sabe reconhecer a seriedade da questão que tem entre mãos, evita-se o risco de que um certo discernimento leve a pensar que a Igreja sustente uma moral dupla.

As circunstâncias atenuantes no discernimento pastoral

301. Para se entender adequadamente por que é possível e necessário um discernimento especial em algumas situações chamadas "irregulares", há uma questão que sempre se deve levar em consideração, para nunca se pensar que se pretendem diminuir as exigências do Evangelho. A Igreja possui uma sólida reflexão sobre os condicionamentos e as circunstâncias atenuantes. Por isso, já não é possível dizer que todos os que estão em uma situação chamada "irregular" vivem em estado de pecado mortal, privados da graça santificante. Os limites não dependem simplesmente de um eventual desconhecimento da norma. Uma pessoa, mesmo conhecendo bem a norma, pode ter grande dificuldade em compreender "os valores inerentes à norma"[339] ou pode encontrar-se em condições concretas

---

[339] FC, n. 33.

que não lhe permitem agir de maneira diferente e tomar outras decisões sem uma nova culpa. Como bem se expressaram os Padres sinodais, "podem existir fatores que limitam a capacidade de decisão".[340] E São Tomás de Aquino reconhecia que alguém pode ter a graça e a caridade, mas é incapaz de exercitar bem alguma das virtudes,[341] pelo que, embora possua todas as virtudes morais infusas, não manifesta com clareza a existência de alguma delas, porque a prática exterior dessa virtude está dificultada: "Diz-se que alguns Santos não têm certas virtudes, enquanto experimentam dificuldade em pô-las em ato, embora tenham os hábitos de todas as virtudes".[342]

302. A propósito destes condicionamentos, o *Catecismo da Igreja Católica* exprime-se de maneira categórica: "A imputabilidade e responsabilidade de um ato podem ser diminuídas, e até anuladas, pela ignorância, a inadvertência, a violência, o medo, os hábitos, as afeições desordenadas e outros fatores psíquicos ou sociais".[343] E, em outro parágrafo, refere-se novamente às circunstâncias que atenuam a responsabilidade moral, nomeadamente "a imaturidade afetiva, a força de hábitos contraídos, o estado de angústia e outros fatores

---

[340] *Relatio Finalis* 2015, n. 51.

[341] Cf. *Summa theologiae* I-II, q. 65, art. 3, ad. 2; *De malo*, q. 2, a. 2.

[342] *Summa theologiae* I-II, q. 65, art. 3, ad. 3.

[343] N. 1735.

psíquicos ou sociais".³⁴⁴ Por esta razão, um juízo negativo sobre uma situação objetiva não implica um juízo sobre a imputabilidade ou a culpabilidade da pessoa envolvida.³⁴⁵ No contexto destas convicções, considero muito apropriado o que muitos Padres sinodais quiseram sustentar: "Em determinadas circunstâncias, as pessoas encontram grandes dificuldades de agir de maneira diversa. (…) Embora tenha em consideração a consciência retamente formada pelas pessoas, o discernimento pastoral deve assumir a responsabilidade por tais situações. Também as consequências dos gestos realizados não são necessariamente as mesmas em todos os casos".³⁴⁶

303. A partir do reconhecimento do peso dos condicionamentos concretos, podemos acrescentar que a consciência das pessoas deve ser mais bem incorporada na práxis da Igreja em algumas situações que não realizam objetivamente a nossa concepção do matrimônio. É claro que devemos incentivar o amadurecimento de

---

[344] N. 2352; cf. Congr. para a Doutrina da Fé, Decl. sobre a eutanásia *Iura et bona* (5 de maio de 1980), II: *AAS* 72 (1980), 546. João Paulo II, ao criticar algumas leituras da categoria "opção fundamental", reconhecia que "podem, sem dúvida, verificar-se situações muito complexas e obscuras sob o ponto de vista psicológico, que influem na imputabilidade subjetiva do pecador" (RP, n. 17).

[345] Cf. Pont. Conselho para os Textos Legislativos, Decl. sobre *A admissibilidade à Sagrada Comunhão dos divorciados que voltaram a casar* (24 de junho de 2000), 2.

[346] *Relatio Finalis* 2015, n. 85.

uma consciência esclarecida, formada e acompanhada pelo discernimento responsável e sério do pastor, e propor uma confiança cada vez maior na graça. Mas esta consciência pode reconhecer não só que uma situação não corresponde objetivamente à proposta geral do Evangelho, mas reconhecer também, com sinceridade e honestidade, aquilo que, por agora, é a resposta generosa que se pode oferecer a Deus e descobrir com certa segurança moral que esta é a doação que o próprio Deus está a pedir no meio da complexidade concreta dos limites, embora não seja ainda plenamente o ideal objetivo. Em todo o caso, lembremo-nos de que este discernimento é dinâmico e deve permanecer sempre aberto para novas etapas de crescimento e novas decisões que permitam realizar o ideal de forma mais completa.

As normas e o discernimento

304. É mesquinho deter-se a considerar apenas se o agir de uma pessoa corresponde ou não a uma lei ou norma geral, porque isto não basta para discernir e assegurar uma plena fidelidade a Deus na existência concreta de um ser humano. Peço encarecidamente que nos lembremos sempre de algo que ensina São Tomás de Aquino e aprendamos a assimilá-lo no discernimento pastoral: "Embora nos princípios gerais tenhamos o caráter necessário, todavia à medida que se abordam os casos particulares, aumenta a indeterminação (…).

No âmbito da ação, a verdade ou a retidão prática não são iguais em todas as aplicações particulares, mas apenas nos princípios gerais; e, naqueles onde a retidão é idêntica nas próprias ações, esta não é igualmente conhecida por todos. (…) Quanto mais se desce ao particular, tanto mais aumenta a indeterminação".[347] É verdade que as normas gerais apresentam um bem que nunca se deve ignorar nem transcurar, mas, na sua formulação, não podem abarcar absolutamente todas as situações particulares. Ao mesmo tempo é preciso afirmar que, precisamente por esta razão, o que faz parte de um discernimento prático de uma situação particular não pode ser elevado à categoria de norma. Isto não só geraria uma casuística insuportável, mas também colocaria em risco os valores que se devem preservar com particular cuidado.[348]

305. Por isso, um pastor não pode sentir-se satisfeito apenas aplicando leis morais aos que vivem em situações "irregulares", como se fossem pedras que se atiram contra a vida das pessoas. É o caso dos corações fechados, que muitas vezes se escondem atrás dos ensinamentos da Igreja "para se sentar na cátedra de Moisés

---

[347] *Summa theologiae* I-II, q. 94, art. 4.

[348] Referindo-se ao conhecimento geral da norma e ao conhecimento particular do discernimento prático, São Tomás chega a dizer que, "se existir apenas um dos dois conhecimentos, é preferível que este seja o conhecimento da realidade particular porque está mais próximo do agir" [*Sententia libri Ethicorum*, VI, 6 (ed. Leonina, t. 47, 354)].

e julgar, às vezes com superioridade e superficialidade, os casos difíceis e as famílias feridas".[349] Na mesma linha se pronunciou a Comissão Teológica Internacional: "A lei natural não pode ser apresentada como um conjunto já constituído de regras que se impõem *a priori* ao sujeito moral, mas é uma fonte de inspiração objetiva para o seu processo, eminentemente pessoal, de tomada de decisão".[350] Por causa dos condicionalismos ou dos fatores atenuantes, é possível que uma pessoa, no meio de uma situação objetiva de pecado – mas subjetivamente não seja culpável ou não o seja plenamente –, possa viver em graça de Deus, possa amar e possa também crescer na vida de graça e de caridade, recebendo para isso a ajuda da Igreja.[351] O discernimento deve ajudar a encontrar os caminhos possíveis de resposta a Deus e de crescimento no meio dos limites. Por pensar que tudo seja branco ou preto, às vezes fechamos o caminho da graça e do crescimento e desencorajamos percursos de santificação que dão glória a Deus. Lembremo-nos de

---

[349] FRANCISCO, *Discurso no encerramento da XIV Assembleia Geral Ordinária do Sínodo dos Bispos* (24 de outubro de 2015): *L'Osservatore Romano* (ed. semanal portuguesa de 29/10/2015), 9.

[350] *À procura de uma ética universal: um novo olhar sobre a lei natural* (2009), 59.

[351] Em certos casos, poderia haver também a ajuda dos sacramentos. Por isso, "aos sacerdotes, lembro que o confessionário não deve ser uma câmara de tortura, mas o lugar da misericórdia do Senhor" (EG, n. 44). E de igual modo assinalo que a Eucaristia "não é um prêmio para os perfeitos, mas um remédio generoso e um alimento para os fracos" (EG, n. 47).

que "um pequeno passo, no meio de grandes limitações humanas, pode ser mais agradável a Deus do que a vida externamente correta de quem transcorre os seus dias sem enfrentar sérias dificuldades".[352] A pastoral concreta dos ministros e das comunidades não pode deixar de incorporar esta realidade.

306. Em toda e qualquer circunstância, perante quem tenha dificuldade em viver plenamente a lei de Deus, deve ressoar o convite a percorrer a *via caritatis*. A caridade fraterna é a primeira lei dos cristãos (cf. Jo 15,12; Gl 5,14). Não esqueçamos a promessa feita na Sagrada Escritura: "Sobretudo, cultivai o amor mútuo, com todo o ardor, porque o amor cobre uma multidão de pecados" (1Pd 4,8); "paga teus pecados praticando a compaixão e repara tuas faltas cuidando dos pobres" (Dn 4,24); "a água apaga o fogo crepitante:, assim a esmola expia os pecados" (Eclo 3,30). O mesmo ensina também Santo Agostinho: "Tal como, em perigo de incêndio, correríamos a buscar água para o apagar (…), o mesmo deveríamos fazer quando nos turvamos porque, da nossa palha, irrompeu a chama do pecado; assim, quando se nos proporciona a ocasião de uma obra cheia de misericórdia, alegremo-nos por ela como se

---

[352] Ibidem, n. 44: o. c., 1038-1039.

fosse uma fonte que nos é oferecida e da qual podemos tomar a água para extinguir o incêndio".[353]

A lógica da misericórdia pastoral

307. Para evitar qualquer interpretação tendenciosa, lembro que, de modo algum, deve a Igreja renunciar a propor o ideal pleno do matrimônio, o projeto de Deus em toda a sua grandeza: "É preciso encorajar os jovens batizados para não hesitarem perante a riqueza que o sacramento do matrimônio oferece aos seus projetos de amor, com a força do apoio que recebem da graça de Cristo e da possibilidade de participar plenamente na vida da Igreja".[354] A tibieza, qualquer forma de relativismo ou um excessivo respeito na hora de propor o sacramento seriam uma falta de fidelidade ao Evangelho e também uma falta de amor da Igreja pelos próprios jovens. A compreensão pelas situações excepcionais não implica jamais esconder a luz do ideal mais pleno, nem propor menos de quanto Jesus oferece ao ser humano. Hoje, mais importante do que uma pastoral dos fracassados é o esforço pastoral para consolidar os matrimônios e assim evitar as rupturas.

---

[353] *De catechizandis rudibus*, I, 14, 22: *PL* 40, 327; cf. EG, n. 193.
[354] *Relatio Synodi* 2014, n. 26.

308. Todavia, da nossa consciência do peso das circunstâncias atenuantes – psicológicas, históricas e mesmo biológicas – conclui-se que, "sem diminuir o valor do ideal evangélico, é preciso acompanhar, com misericórdia e paciência, as possíveis etapas de crescimento das pessoas, que se vão construindo dia após dia", dando lugar à "misericórdia do Senhor que nos incentiva a praticar o bem possível".[355] Compreendo aqueles que preferem uma pastoral mais rígida, que não dê lugar a confusão alguma; mas creio sinceramente que Jesus Cristo quer uma Igreja atenta ao bem que o Espírito derrama no meio da fragilidade: uma Mãe que, ao mesmo tempo que expressa claramente a sua doutrina objetiva, "não renuncia ao bem possível, ainda que corra o risco de sujar-se com a lama da estrada".[356] Os pastores, que propõem aos fiéis o ideal pleno do Evangelho e a doutrina da Igreja, devem ajudá-los também a assumir a lógica da compaixão pelas pessoas frágeis e evitar perseguições ou juízos demasiado duros e impacientes. O próprio Evangelho exige que não julguemos nem condenemos (cf. Mt 7,1; Lc 6,37). Jesus "espera que renunciemos a procurar aqueles abrigos pessoais ou comunitários que permitem manter-nos à distância do nó do drama humano, a fim de aceitarmos verdadeiramente entrar em contato com

---

[355] EG, n. 44.
[356] Ibidem, n. 45: o. c., 1039.

a vida concreta dos outros e conhecermos a força da ternura. Quando o fazemos, a vida complica-se sempre maravilhosamente".[357]

309. É providencial que estas reflexões sejam desenvolvidas no contexto de um Ano Jubilar dedicado à misericórdia, porque, também perante as mais diversas situações que afetam a família, "a Igreja tem a missão de anunciar a misericórdia de Deus, coração pulsante do Evangelho, que por meio dela deve chegar ao coração e à mente de cada pessoa. A Esposa de Cristo assume o comportamento do Filho de Deus, que vai ao encontro de todos sem excluir ninguém".[358] Ela bem sabe que o próprio Jesus Se apresenta como Pastor de cem ovelhas, não de noventa e nove; e quer tê-las todas. A partir desta consciência, tornar-se-á possível que "a todos, crentes e afastados, possa chegar o bálsamo da misericórdia como sinal do Reino de Deus já presente no meio de nós".[359]

310. Não podemos esquecer que "a misericórdia não é apenas o agir do Pai, mas torna-se o critério para entender quem são os seus verdadeiros filhos. Em suma, somos chamados a viver de misericórdia, porque,

---

[357] Ibidem, n. 270: o. c., 1128.
[358] MV, n. 12.
[359] Ibidem, n. 5: o. c., 402.

primeiro, foi usada misericórdia para conosco".[360] Não é uma proposta romântica nem uma resposta débil ao amor de Deus, que sempre quer promover as pessoas, porque "a arquitrave que suporta a vida da Igreja é a misericórdia. Toda a sua ação pastoral deveria estar envolvida pela ternura com que se dirige aos crentes; no anúncio e testemunho que oferece ao mundo, nada pode ser desprovido de misericórdia".[361] É verdade que, às vezes, "agimos como controladores da graça e não como facilitadores. Mas a Igreja não é uma alfândega; é a casa paterna, onde há lugar para todos com a sua vida fadigosa".[362]

311. O ensino da teologia moral não deveria deixar de assumir estas considerações, porque, embora seja verdade que é preciso ter cuidado com a integralidade da doutrina moral da Igreja, todavia sempre se deve pôr um cuidado especial em evidenciar e encorajar os valores mais altos e centrais do Evangelho,[363] particularmente o primado da caridade como resposta à iniciativa gratuita do amor de Deus. Às vezes custa-nos muito dar lugar, na pastoral, ao amor incondicional de Deus.[364] Pomos tantas condições à misericórdia que a

---

[360] Ibidem, n. 9: o. c., 405.

[361] Ibidem, n. 10: o. c., 406.

[362] EG, n. 47.

[363] Cf. ibidem, n. 36-37: o. c., 1035.

[364] Talvez por escrúpulo, oculto por detrás de um grande desejo de fidelidade à verdade, alguns sacerdotes exigem aos penitentes um propósito de emenda

esvaziamos de sentido concreto e real significado, e esta é a pior maneira de frustrar o Evangelho. É verdade, por exemplo, que a misericórdia não exclui a justiça e a verdade, mas, antes de tudo, temos de dizer que a misericórdia é a plenitude da justiça e a manifestação mais luminosa da verdade de Deus. Por isso, convém sempre considerar "inadequada qualquer concepção teológica que, em última instância, ponha em dúvida a própria onipotência de Deus e, especialmente, a sua misericórdia".[365]

312. Isto fornece-nos um quadro e um clima que nos impedem de desenvolver uma moral fria de escritório quando nos ocupamos dos temas mais delicados, situando-nos, antes, no contexto de um discernimento pastoral cheio de amor misericordioso, que sempre se inclina para compreender, perdoar, acompanhar, esperar e sobretudo integrar. Esta é a lógica que deve prevalecer na Igreja, para "fazer a experiência de abrir o coração àqueles que vivem nas mais variadas

---

claro sem sombra alguma, fazendo com que a misericórdia se esfume debaixo da busca de uma justiça supostamente pura. Por isso vale a pena recordar o ensinamento de São João Paulo II quando afirmou que a previsibilidade de uma nova queda "não prejudica a autenticidade do propósito" [*Carta ao Card. William W. Baum por ocasião do curso sobre o foro interno, organizado pela Penitenciária Apostólica* (22 de março de 1996), 5: *Insegnamenti*, 19/1 (1996), 589; *L'Osservatore Romano* (ed. semanal portuguesa de 30/03/1996), 3].

[365] Comissão Teológica Internacional, *A esperança de salvação para as crianças que morrem sem batismo* (19 de abril de 2007), 2.

periferias existenciais".[366] Convido os fiéis, que vivem situações complexas, a aproximar-se com confiança para falar com os seus pastores ou com leigos que vivem entregues ao Senhor. Nem sempre encontrarão neles uma confirmação das próprias ideias ou desejos, mas seguramente receberão uma luz que lhes permita compreender melhor o que está acontecendo e poderão descobrir um caminho de amadurecimento pessoal. E convido os pastores a escutar, com carinho e serenidade, com o desejo sincero de entrar no coração do drama das pessoas e compreender o seu ponto de vista, para ajudá--las a viver melhor e reconhecer o seu lugar na Igreja.

---

[366] MV, n. 15.

Capítulo IX

ESPIRITUALIDADE CONJUGAL E FAMILIAR

313. O amor assume matizes diferentes, segundo o estado de vida a que cada um foi chamado. Várias décadas atrás, o Concílio Vaticano II, a propósito do apostolado dos leigos, punha em realce a espiritualidade que brota da vida familiar. Dizia que a espiritualidade dos leigos "deverá assumir características especiais" próprias, nomeadamente a partir do "estado do matrimônio e da família",[367] e que os cuidados familiares não devem ser alheios ao seu estilo de vida espiritual.[368] Por isso, vale a pena deter-nos brevemente a descrever algumas características fundamentais desta espiritualidade específica que se desenrola no dinamismo das relações da vida familiar.

Espiritualidade da comunhão sobrenatural

314. Sempre falamos da inabitação de Deus no coração da pessoa que vive na sua graça. Hoje podemos

---

[367] AA, n. 4.
[368] Cf. idem.

dizer também que a Trindade está presente no templo da comunhão matrimonial. Assim como habita nos louvores do seu povo (cf. Sl 22/21,4), assim também vive intimamente no amor conjugal que Lhe dá glória.

315. A presença do Senhor habita na família real e concreta, com todos os seus sofrimentos, lutas, alegrias e propósitos diários. Quando se vive em família, é difícil fingir e mentir, não podemos mostrar uma máscara. Se o amor anima esta autenticidade, o Senhor reina nela com a sua alegria e a sua paz. A espiritualidade do amor familiar é feita de milhares de gestos reais e concretos. Deus tem a sua própria habitação nesta variedade de dons e encontros que fazem maturar a comunhão. Esta dedicação une "o humano e o divino",[369] porque está cheia do amor de Deus. Em suma, a espiritualidade matrimonial é uma espiritualidade do vínculo habitado pelo amor divino.

316. A comunhão familiar bem vivida é um verdadeiro caminho de santificação na vida ordinária e de crescimento místico, um meio para a união íntima com Deus. Com efeito, as exigências fraternas e comunitárias da vida em família são uma ocasião para abrir cada vez mais o coração, e isto torna possível um encontro sempre mais pleno com o Senhor. Lê-se, na Palavra de Deus, que "quem odeia o seu irmão está nas trevas"

---

[369] GS, n. 49.

(1Jo 2,11), "permanece na morte" (1Jo 3,14) e "não chegou a conhecer a Deus" (1Jo 4,8). O meu antecessor, Bento XVI, disse que "o fechar os olhos diante do próximo torna cegos também diante de Deus"[370] e que, fundamentalmente, o amor é a única luz que "ilumina incessantemente um mundo às escuras".[371] Somente "se nos amarmos uns aos outros, Deus permanece em nós e seu amor em nós é plenamente realizado" (1Jo 4,12). Dado que "a pessoa humana tem uma inata e estrutural dimensão social"[372] e "a primeira e originária expressão da dimensão social da pessoa é o casal e a família",[373] a espiritualidade encarna-se na comunhão familiar. Por isso, aqueles que têm desejos espirituais profundos não devem sentir que a família os afasta do crescimento na vida do Espírito, mas é um percurso de que o Senhor Se serve para os levar às alturas da união mística.

Unidos em oração à luz da Páscoa

317. Se a família consegue concentrar-se em Cristo, Ele unifica e ilumina toda a vida familiar. Os sofrimentos e os problemas são vividos em comunhão com a Cruz do Senhor e, abraçados a Ele, pode-se suportar

---

[370] DCE, n. 16.
[371] Ibidem, n. 39: o. c., 250.
[372] CfL, n. 40.
[373] Idem.

os piores momentos. Nos dias amargos da família, há uma união com Jesus abandonado, que pode evitar uma ruptura. As famílias alcançam pouco a pouco, "com a graça do Espírito Santo, a sua santidade através da vida matrimonial, também participante no mistério da cruz de Cristo, que transforma as dificuldades e os sofrimentos em oferenda de amor".[374] Por outro lado, os momentos de alegria, o descanso ou a festa, e mesmo a sexualidade são sentidos como uma participação na vida plena da sua Ressurreição. Os cônjuges moldam, com vários gestos cotidianos, este "espaço teologal, onde se pode experimentar a presença mística do Senhor ressuscitado".[375]

318. A oração em família é um meio privilegiado para exprimir e reforçar esta fé pascal.[376] Podem-se encontrar alguns minutos cada dia para estar unidos na presença do Senhor vivo, dizer-Lhe as coisas que os preocupam, rezar pelas necessidades familiares, orar por alguém que está atravessando um momento difícil, pedir-Lhe ajuda para amar, dar-Lhe graças pela vida e as coisas boas, suplicar à Virgem que os proteja com o seu manto de Mãe. Com palavras simples, este momento de oração pode fazer muito bem à família. As

---

[374] *Relatio Finalis* 2015, n. 87.
[375] VC, n. 42.
[376] Cf. *Relatio Finalis* 2015, n. 87.

várias expressões da piedade popular são um tesouro de espiritualidade para muitas famílias. O caminho comunitário de oração atinge o seu ponto culminante ao participarem juntos na Eucaristia, sobretudo no contexto do descanso dominical. Jesus bate à porta da família, para partilhar com ela a Ceia Eucarística (cf. Ap 3,20). Aqui, os esposos podem voltar incessantemente a selar a aliança pascal que os uniu e reflete a Aliança que Deus selou com a humanidade na Cruz.[377] A Eucaristia é o sacramento da Nova Aliança, em que se atualiza a ação redentora de Cristo (cf. Lc 22,20). Constatamos, assim, os laços íntimos que existem entre a vida conjugal e a Eucaristia.[378] O alimento da Eucaristia é força e estímulo para viver cada dia a aliança matrimonial como "igreja doméstica".[379]

Espiritualidade do amor exclusivo e libertador

319. No matrimônio, vive-se também o sentido de pertencer completamente a uma única pessoa. Os esposos assumem o desafio e o anseio de envelhecer e gastar-se juntos, e assim refletem a fidelidade de Deus. Esta firme decisão, que marca um estilo de vida, é

---

[377] Cf. FC, n. 57.

[378] Não esqueçamos que a Aliança de Deus com o seu povo se exprime como um desposório (cf. Ez 16,8.60; Is 62,5; Os 2,21-22), e a nova Aliança é apresentada também como um matrimônio (cf. Ap 19,7; 21,2; Ef 5,25).

[379] LG, n. 11.

uma "exigência interior do pacto de amor conjugal",[380] porque, "quem não se decide a amar para sempre, é difícil que possa amar deveras um só dia".[381] Mas isto não teria significado espiritual, se fosse apenas uma lei vivida com resignação. É uma pertença do coração, lá onde só Deus vê (cf. Mt 5,28). Cada manhã, quando se levanta, o cônjuge renova diante de Deus esta decisão de fidelidade, aconteça o que acontecer ao longo do dia. E cada um, quando vai dormir, espera levantar-se para continuar esta aventura, confiando na ajuda do Senhor. Assim, cada cônjuge é para o outro sinal e instrumento da proximidade do Senhor, que não nos deixa sozinhos: "Estou convosco todos os dias, até o fim dos tempos" (Mt 28,20).

320. Há um ponto em que o amor do casal alcança a máxima libertação e se torna um espaço de sã autonomia: quando cada um descobre que o outro não é seu, mas tem um proprietário muito mais importante, o seu único Senhor. Ninguém pode pretender possuir a intimidade mais pessoal e secreta da pessoa amada, e só Ele pode ocupar o centro da sua vida. Ao mesmo tempo, o princípio do realismo espiritual faz com que o cônjuge não pretenda que o outro satisfaça completamente as

---

[380] FC, n. 11.

[381] JOÃO PAULO II, *Homilia na Eucaristia celebrada para as famílias*, em Córdova/Argentina (8 de abril de 1987), 4: *Insegnamenti* 10/1 (1987), 1161-1162; *L'Osservatore Romano* (ed. semanal portuguesa de 08/05/1987), 6.

suas exigências. É preciso que o caminho espiritual de cada um – como justamente indicava Dietrich Bonhoeffer – o ajude a "desiludir-se" do outro,[382] a deixar de esperar dessa pessoa o que é próprio apenas do amor de Deus. Isto exige um despojamento interior. O espaço exclusivo, que cada um dos cônjuges reserva para a sua relação pessoal com Deus, não só permite curar as feridas da convivência, mas possibilita também encontrar no amor de Deus o sentido da própria existência. Temos necessidade de invocar cada dia a ação do Espírito, para que esta liberdade interior seja possível.

Espiritualidade da solicitude, da consolação e do estímulo

321. "Os esposos cristãos são cooperadores da graça e testemunhas da fé um para com o outro, para com os filhos e demais familiares".[383] Deus convida-os a gerar e a cuidar. Por isso mesmo, a família "foi desde sempre o 'hospital' mais próximo".[384] Prestemo-nos cuidados, apoiemo-nos e estimulemo-nos mutuamente, e vivamos tudo isto como parte da nossa espiritualidade familiar. A vida em casal é uma participação na obra

---

[382] Cf. *Gemeinsames Leben* (Munique 1963), 18.

[383] AA, n. 11.

[384] FRANCISCO, *Catequese* (10 de junho de 2015): *L'Osservatore Romano* (ed. semanal portuguesa de 11/06/2015), 16.

fecunda de Deus, e cada um é para o outro uma permanente provocação do Espírito. O amor de Deus exprime-se "através das palavras vivas e concretas com que o homem e a mulher se declaram o seu amor conjugal".[385] Assim, os dois são entre si reflexos do amor divino, que conforta com a palavra, o olhar, a ajuda, a carícia, o abraço. Por isso, "querer formar uma família é ter a coragem de fazer parte do sonho de Deus, a coragem de sonhar com Ele, a coragem de construir com Ele, a coragem de unir-se a Ele nesta história de construir um mundo onde ninguém se sinta só".[386]

322. Toda a vida da família é um "pastoreio" misericordioso. Cada um, cuidadosamente, desenha e escreve na vida do outro: "Vós é que sois a nossa carta, escrita em nossos corações (…) não com tinta, mas com o Espírito de Deus vivo" (2Cor 3,2-3). Cada um é um "pescador de homens" (Lc 5,10) que, em nome de Jesus, lança as redes (cf. Lc 5,5) para os outros, ou um lavrador que trabalha nesta terra fresca que são os seus entes queridos, incentivando o melhor deles. A fecundidade matrimonial implica promover, porque "amar uma pessoa é esperar dela algo indefinível e imprevisível; e é, ao mesmo tempo, proporcionar-lhe de alguma forma

---

[385] FC, n. 12.

[386] FRANCISCO, *Discurso na Festa das Famílias e Vigília de Oração*, em Filadélfia (26 de setembro de 2015): *L'Osservatore Romano* (ed. semanal portuguesa de 08/10/2015), 2.

os meios para satisfazer tal expectativa".[387] Isto é um culto a Deus, pois foi Ele que semeou muitas coisas boas nos outros, com a esperança de que as façamos crescer.

323. É uma experiência espiritual profunda contemplar cada ente querido com os olhos de Deus e reconhecer Cristo nele. Isto exige uma disponibilidade gratuita que permita apreciar a sua dignidade. É possível estar plenamente presente diante do outro, se uma pessoa se entrega gratuitamente, esquecendo tudo o que existe em redor. Assim a pessoa amada merece toda a atenção. Jesus era um modelo, porque, quando alguém se aproximava para falar com Ele, fixava nele o seu olhar, olhava com amor (cf. Mc 10,21). Ninguém se sentia transcurado na sua presença, pois as suas palavras e gestos eram expressão desta pergunta: "Que queres que eu te faça?" (Mc 10,51). Vive-se isto na vida cotidiana da família. Nela, recordamos que a pessoa que vive conosco merece tudo, pois tem uma dignidade infinita por ser objeto do amor imenso do Pai. Assim floresce a ternura, capaz de "suscitar no outro a alegria de se sentir amado. Ela exprime-se de modo particular prestando atenção delicada aos limites do outro, especialmente quando eles sobressaem de maneira evidente".[388]

---

[387] GABRIEL MARCEL, *Homo viator: prolégomènes à une métaphysique de l'espérance* (Paris 1944), 63.
[388] *Relatio Finalis* 2015, n. 88.

324. Sob o impulso do Espírito, o núcleo familiar não só acolhe a vida gerando-a no próprio seio, mas abre-se também, sai de si para derramar o seu bem nos outros, para cuidar deles e procurar a sua felicidade. Esta abertura exprime-se particularmente na hospitalidade,[389] que a Palavra de Deus encoraja de forma sugestiva: "Não descuideis da hospitalidade, pois, graças a ela, alguns hospedaram anjos, sem o perceber" (Hb 13,2). Quando a família acolhe e sai ao encontro dos outros, especialmente dos pobres e abandonados, é "símbolo, testemunho, participação da maternidade da Igreja".[390] Na realidade, o amor social, reflexo da Trindade, é o que unifica o sentido espiritual da família e a sua missão fora de si mesma, porque torna presente o querigma com todas as suas exigências comunitárias. A família vive a sua espiritualidade própria, sendo ao mesmo tempo uma igreja doméstica e uma célula viva para transformar o mundo.[391]

***

325. As palavras do Mestre (cf. Mt 22,30) e as de São Paulo (cf. 1Cor 7,29-31) sobre o matrimônio estão inseridas – não por acaso – na dimensão última

---

[389] Cf. FC, n. 44.

[390] Ibidem, n. 49: o. c., 141.

[391] Sobre os aspectos sociais da família, cf. Pontifício Conselho "Justiça e Paz", *Compêndio da Doutrina Social da Igreja*, 248-254.

e definitiva da nossa existência, que precisamos recuperar. Assim, os esposos poderão reconhecer o sentido do caminho que estão percorrendo. Com efeito, como recordamos várias vezes nesta Exortação, nenhuma família é uma realidade perfeita e confeccionada de uma vez para sempre, mas requer um progressivo amadurecimento da sua capacidade de amar. Há um apelo constante que provém da comunhão plena da Trindade, da união estupenda entre Cristo e a sua Igreja, daquela comunidade tão bela que é a família de Nazaré e da fraternidade sem mácula que existe entre os Santos do céu. Mas contemplar a plenitude que ainda não alcançamos permite-nos também relativizar o percurso histórico que estamos fazendo como família, para deixar de pretender das relações interpessoais uma perfeição, uma pureza de intenções e uma coerência que só poderemos encontrar no Reino definitivo. Além disso, impede-nos de julgar com dureza aqueles que vivem em condições de grande fragilidade. Todos somos chamados a manter viva a tensão para algo mais além de nós mesmos e dos nossos limites, e cada família deve viver neste estímulo constante. Avancemos, famílias; continuemos a caminhar! O que nos é prometido é sempre mais. Não percamos a esperança por causa dos nossos limites, mas também não renunciemos à procura da plenitude de amor e comunhão que nos foi prometida.

Oração à Sagrada Família

Jesus, Maria e José,
em Vós contemplamos
o esplendor do verdadeiro amor,
confiantes, a Vós nos consagramos.
Sagrada Família de Nazaré,
tornai também as nossas famílias
lugares de comunhão e cenáculos de oração,
autênticas escolas do Evangelho
e pequenas igrejas domésticas.
Sagrada Família de Nazaré,
que nunca mais haja nas famílias
episódios de violência, de fechamento e divisão;
e quem tiver sido ferido ou escandalizado
seja rapidamente consolado e curado.
Sagrada Família de Nazaré,
fazei que todos nos tornemos conscientes
do caráter sagrado e inviolável da família,
da sua beleza no projeto de Deus.
Jesus, Maria e José,
ouvi-nos e acolhei a nossa súplica.
Amém!

Dado em Roma, junto de São Pedro, no Jubileu Extraordinário da Misericórdia, em 19 de março – solenidade de São José – do ano 2016, quarto do meu Pontificado.

Franciscus

SUMÁRIO

Siglas 3

A ALEGRIA DO AMOR 7

CAPÍTULO I – À LUZ DA PALAVRA 11
Tu e a tua esposa 12
Os teus filhos como brotos de oliveira 16
Um rastro de sofrimento e sangue 19
O fruto do teu próprio trabalho 22
A ternura do abraço 23

CAPÍTULO II – A REALIDADE E OS DESAFIOS
DAS FAMÍLIAS 27
A situação atual da família 28
Alguns desafios 45

CAPÍTULO III – O OLHAR FIXO EM JESUS:
A VOCAÇÃO DA FAMÍLIA 55
Jesus recupera e realiza plenamente
o projeto divino 56
A família nos documentos da Igreja 60
Sementes do Verbo e situações imperfeitas 68
A transmissão da vida e a educação dos filhos ... 71
A família e a Igreja 76

Capítulo IV – O amor no matrimônio 79
  O nosso amor cotidiano 80
  Crescer na caridade conjugal 100
  Amor apaixonado 116
  A transformação do amor 133

Capítulo V – O amor que se torna fecundo 137
  Acolher uma nova vida 137
  Fecundidade alargada 149
  A vida na família em sentido amplo 156

Capítulo VI – Algumas perspectivas pastorais 165
  Anunciar hoje o Evangelho da família 165
  Guiar os noivos no caminho de preparação
  para o matrimônio 170
  Acompanhamento nos primeiros anos
  da vida matrimonial 180
  Iluminar crises, angústias e dificuldades 192
  Quando a morte crava o seu aguilhão 209

**Capítulo VII – Reforçar a educação
  dos filhos** 215
  Onde estão os filhos? 215
  A formação ética dos filhos 218
  O valor da sanção como estímulo 221
  Realismo paciente 223
  A vida familiar como contexto educativo 225

Sim à educação sexual 230
Transmitir a fé 235

Capítulo VIII – Acompanhar, discernir e integrar a fragilidade 241

A gradualidade na pastoral 242

O discernimento das situações chamadas "irregulares" 245

As circunstâncias atenuantes no discernimento pastoral 252

As normas e o discernimento 255

A lógica da misericórdia pastoral 259

Capítulo IX – Espiritualidade conjugal e familiar 265

Espiritualidade da comunhão sobrenatural 265

Unidos em oração à luz da Páscoa 267

Espiritualidade do amor exclusivo e libertador 269

Espiritualidade da solicitude, da consolação e do estímulo 271

Rua Dona Inácia Uchoa, 62
04110-020 – São Paulo – SP (Brasil)
Tel.: (11) 2125-3500
paulinas.com.br – editora@paulinas.com.br
Telemarketing e SAC: 0800-7010081